박경범 지음
신미
제왕의 相을 가진 아이
대사와
불경을 백성 모두에게
복천암의 신미대사
훈민정음
우리말로 쓴 석보상절
문수보살이 내린 지혜
창제
앞으로의 대한민국

신미대사는 누구인가

지금부터 600년 전 신미대사는 충청북도 영동의 영산 김씨 가문에서 부친 김훈과 모친 여흥 이씨 부인 사이에서 태어나 출가 입산 전에 부친께서 진사벼슬에 등과한 후 태종 때에 영의정까지 지낸 귀족가문 출신이기에 속가에서 사서삼경을 모두 섭렵하고 출가 입산하여 대장경을 열람하다가 범서장경(梵書藏經) 또는 다라니경(陀羅尼經)이 중국에 들어와 여러 고승들에 의하여 번역되었으나 마음에 차지 않아 범서로 된 원전을 보기위하여 범어(梵語)와 범서(梵書)를 공부했다.

불가에서는 유일하게 충청북도 속리산 복천암에 주석하고 있는 신미대사가 세종대왕의 초빙을 받아 집현전에 참석하게 되었다. 집현전에서 1443년부터 한글에 대한 논의를 하기 시작 1446년까지 4년에 걸쳐 논의한 끝에 신미대사는 모음, 자음, 소리글을 범서에서 착안하여 한글을 마무리 짓고 시험할 때 해인사에서 장경을 간인(법화경, 지장경, 금강경, 반야심경 등)하여 토도 달아보고 번역도 하여 시험을 끝내고 마침내 우리글이 완성되었다고 세종대왕께 보고했다. 세종은 신미대사의 한글설명을 듣고 너무 기뻐하여 1446년 9월에 우리글을 '훈민정음'이라 전국에 공포했다. 세종은 우리글이 만들어졌으니 우리글로 노래도 한 번 지어 보라 명했다. 그 때, 저 유명한 '월인천강지곡(月印千江之曲)'과 용비어천가(龍飛御天歌)'가 탄생한 것이다.

조선 제4대 세종대왕은 중국의 한문이 너무 어려워서 백성들중에 문맹이 많아 배우기 쉬운 우리글이 필요함을 느껴 우리글을 집현전(集賢殿)에서 연구하고 창제할 것을 명하여 집현전답게 장안의 우수한 학자들과 전국에 숨은 인재들을 찾고 불가의 학덕이 높은 고승까지 찾아 집현전에 모여 한글창제에 참여토록 했다.

한글창제에 큰 공을 세운 신미대사의 진영(眞影)

한글 창제의 산실이었던 보은 복천암

오늘날의 복천선원 전경

세종대왕 어진(御眞)

훈민정음 창제는 백성을 사랑한 고승(高僧)의 피나는 헌신의 산물이다 바로 복천암의 신미대사(信眉大師)이다

福泉巖 住持 月性

역사는 언제나 왕과 권력을 중심으로 서술되어 왔다. 이는 동서고금 어디나 당연한 일이지만 그렇다고 진실을 덮어두거나 왜곡된 채로 둘 수는 없다. 숭유억불정책하의 조선시대에서 불교와 불제자들의 업적에 관해서는 다시 볼 필요가 있다.

이제까지 우리 역사에서는 훈민정음 창제가 세종대왕과 집현전학사들에 의해 만들어져 공포된 것으로 보고 있다. 그런데 『세종실록』 『세조어제 원문』 『영산김씨 세보』 『복천보장』 『상원사중수 권선문』 그리고 『능엄경언해』 등 여러 문헌을 보면 훈민정음 창제가 백성을 사랑한 한 고승(高僧)의 피나는 헌신의 산물임을 알 수 있다. 바로 복천암의 신미대사(信眉大師)이다.

세종의 지시로 수양대군와 안평대군의 극비 지원 아래 신미대사의 한글창제는 집현전 밖에서 이뤄졌지만 조선왕조실록에 이 같은 기록은 없다. 숭유억불의 시대에서 유학자들로부터 괄시받던 스님들은 무대 뒤로 사라질 수밖에 없었던 시대였다.

훈민정음의 모든 주변정황은 불교에 맞춰 있다. 훈민정음이 반포된 1446년의 팔년 전인 1438년이 신미대사가 원각선종석보(圓覺禪宗釋譜)를 한글로 만들었다. 훈민정음창제의 공로자가 신미대사이므로 세종대왕이 복천암에 아미타 삼존불을 보내주시고 절을 증축하게 했으며 신미대사에게 우국이세(祐國利世) 혜각존자(慧覺尊者)라는 법호(法號)를 내렸다.

복천암에는 수암화상탑(秀庵和尙塔)이 있고 수암화상 즉 신미대사의 초상화가 있다. 이 고승이 세계적으로 우수한 문자인 훈민정음 창제에 직접관여한 분이라는 사실을 아는 이는 많지 않다.

Designed by rawpixel.com / Freepik

한글 창제가 신미대사의 지대한 노력과 공로에 의한 것임은 이제 새로운 사실이 아닌 것으로 알려졌다

[illegible]

신미대사의 한글창제의 깊은 마음은 백성 모두에게 불경을 읽히기 위한 첫 번째 목적이었음을 다시 한 번 생각해 봐야 할 때다.

이 책은 한글창제의 이야기를 다룬 많은 책들과 달리 오직 한글창제의 위대성을 찬양하는데 머무르지 않고 창제 당시의 취지를 우리는 잘 살리고 있느냐를 묻고 만약 그렇지 않으면 어떻게 대처해야 할 것인가를 제시하고 있다.

오늘날 우리의 국어정책이 이대로만 넘어가서는 안 된다는 문제의식이 있는 모든 사람이 참고할만한 내용이다.

한글을 훈민정음이라고 세종께서 공포한 후 집현전에 같이 참석한 학사 중 성삼문, 정인지 같은 유생들이 말하기를 “한글에 대하여 신미대사의 지대한 공은 인정을 하되 최초 발기를 세종대왕께서 하셨으니 그 공은 세종대왕께 돌리자”고 신미대사를 설득했다. 유생들이 군왕께 충성하는 마음을 안 신미대사는 애민정신으로 이해하고 그 뜻을 따랐다.

오늘 이 책은 많은 국민들에게 한글 창제에 대해 깊은 이해와 감사의 뜻이 담긴 책으로써 널리 읽혀지기를 바란다.

목차

제왕의 相을 가진 아이

일찍이 하늘의 뜻을 받아 인간을 이롭게 하고자 세워진 나라 조선이 있던 삼한 땅에 옛 조선의 정기를 받은 육룡(六龍)이 날아 다시 새로운 조선을 일으키니 백성 모두가 군자(君子)가 되는 해동의 이상국을 세우고자 함이었다.

태종까지 육룡의 건국과정을 마치고 세종에 이르러 치세가 시작되니 새 시대의 가치와 문물을 정립하고 제조(制條)하기에 여러 현인이 함께하여 나라는 태평성세로 접어들었다.

백성은 태평해져도 왕실의 태평은 오래가지 않았다. 세종의 치세가 흥성한 만큼 왕실에는 왕재(王材)가 넘쳐났으니 저마다 국가경영의 큰 꿈을 가지고 세상의 성과를 얻어내고자 했다. 세종 왕의 생전에는 이네들이 서로 협력하여 한 대에 여러 왕이 있음이나 다름없이 큰 업적을 이루었으나 이후 다시 정변을 거듭하고 득의하여 왕위에 오른 자는 세조 왕 수양(首陽)이었다.

등극전후의 수년을 불안 속에 밤낮을 보내다 비로소 반대세력을 진압한 왕은 모처럼 편안한 잠을 청했다.

잠든 중에 갑자기 들리는 큰 소리가 있었다.

- 네 이놈.

감히 누가 왕을 향하여 이렇게 꾸짖을 수 있단 말인가. 이십사세 한창여인의 목소리지만 얼음장을 가르는 우렁찬 고성에 둔중한 반향이 따라 울리며 세상의 어느 권세도 누를 위엄이 서려 있었다.

곧이어 그 모습이 나타났다. 형수 현덕왕후(顯德王后) 권씨(權氏)가 왕후의 복장을 하고서 손가락을 들어 꾸짖는 것이었다.

- 아무리 용상이 탐나기로서니 어린조카를 죽이다니. 더러운 놈아 네놈의 자손인들 제대로 살 것 같으냐.

확-. 용이 불을 뿜듯이 현덕왕후의 입에서부터 허연 점액질의 것이 한 아름 뿜어 나와 그물막처럼 퍼져 적군을 사로잡듯 왕의 온 몸을 덮었다.

왕은 그 허연 막(膜)에서 벗어나지 못하며 온밤을 뒤척이다가 날이 밝아서야 꿈인 줄 알게 되었다.

하지만 깨었다고 해서 악몽의 저주에서 벗어난 것이 아니었다. 왕의 온몸에는 부스럼이 생겼다. 그 다음날에 악몽은 반복되지 않았으나 현실에서의 피부병은 더해갔다.

용상의 지위에 있으니 세상에서 얻을 것은 다 얻을 수 있었다. 조선에서 좋은 약은 다 구해보고 명나라에서 이름난 약도 구해봤지만 피부병은 악화되기만 했다.

하늘이 내리는 보위를 인간의 뜻으로 바꿔 얻었으니 징벌을 받는 것인가.

형제살육은 조부 태종대왕도 했던 일이 아닌가.

대국의 영락제(永樂帝)도 조카의 황위를 거두지 않았던가.

부처님께 기도하며 응답을 구했지만 침묵만이 있을 뿐이었다.

부처님은 자비하시니 인간의 고뇌를 아시지 않을까. 그대로 있으면 어린 왕과 무능한 신하들에 의해 사직(社稷)이 무너질 것이었기에 악한 일임을 알면서도 행하던 그때의 고뇌도 징벌에 버금갈 정도였다.

그러나 업을 갚으려면 앞으로 얼마를 더 받아야 하나. 금생의 일이 전생에 당했던 일의 보응이라면 덜하겠지만 알 수 없었다.

천신만고 끝에 얻은 자리에서 마음은 다시 불안에 휘말렸다.

유교의 틀 아래에서는 왕의 지난날의 악행은 용서되지 못한다. 그러나 불교에서는 솟아날 구멍이 있다. 유교는 현재의 인간사회의 수준에 맞게 사람을 다루는 보수적인 종교이지만 불교는 하근(下根)을 넘어 중근 상근의 영격(靈格)까지 아우르는 진보적인 종교이다. 지금도 보수적인 사회에서는 살인자는 사형에 처함이 마땅하다고 인정된다. 그러나 진보적인 사회에서는 그 안에 사는 영혼들의 윤생(輪生) 경력이 충분하다고 인정하므로 가해자와 피해자는 그럴만한 업보의 사연이 있으니 발생할 수밖에 없는 관계라고 보며 결국 가해자에게 그대로의 되갚음 보다는 적당한 선에서 조정하고 마무리 짓기를 노력한다. 진보적인 생각의 바탕이 되는 불교의 품 안에서는 살인자도 그럴만한 이유가 있음을 변명해준다. 왕의 학살행위는 불교의 틀에서만 변명이 가능하여 왕은 국가정책인 억불숭유보다는 불교에 의지하고 싶었다.

조용한 밤시간에 홀로 인정전(仁政殿)을 방문했다. 바닥에 섰다 앉았다 누웠다 하며 옥좌를 올려다보았다.

여기서 저기 앉아있는 나를 보는 신하들의 마음은 어떨까.

겉으로야 전하전하 하면서 하염없는 존숭(尊崇)의 마음을 바치고 있지만 속으로는 국시(國是)인 유가(儒家)의 가르침을 거스른 패역한 찬탈자라고 생각할지 모른다. 물론 그런 생각이 겉으로 나타난 자들은 지난번에 모두 도륙하여 제거했다. 허나 죽음으로 저항한 여섯 신하와 벼슬을 버리고 사라진 여섯 신하 말고는 과연 생각이 그리 다르다고 할 수 있을까. 어차피 군신유의(君臣有義)를 강조한 유학(儒學)을 배워서 올라온 자들이다.

이런 생각으로 옥좌를 보니 거기 앉아있는 자신이 상상되면서 쳐다보기도 민망해지는 것이었다. 그러나 날이 밝고 때가 되면 다시 거기 앉아야 한다.

할 수만 있다면 왕위도 버리고 산에 들어가 수도하며 살고 싶지만 그게 어디 가능할 것인가. 승호지세(乘虎之勢)에서는 호랑이를 길들이는 것 말고는 선택이 없다. 스스로 올라탄 용상(龍床)이라는 호랑이를 더 이상 두려워하지 말아야 한다. 하지만 이대로는 안 된다. 자기합리화를 해야 한다.

유교는 현생의 본분을 지키라고 가르친다. 본분을 넘어 더 큰 지위를 차지하라는 성현의 가르침은 없다. 하지만 인간이 종종 그런 일을 하게 되는 힘은 무엇일까.

색즉시공공즉시색(色卽是空空卽是色)이니 존재나 비존재나 마찬가지며 태어난 인간이나 태어나지 않은 영혼이나 마찬가지다. 업보(業報)에 매여 태어났다 돌아가고 다시 태어나곤 할 뿐이다.

금생에 나의 그 지독한 행적은 業을 報하는 과정이리라. 존재를 현재에만 국한하지 말고 영겁 속에 둔다면 지금의 나는 찰나 같은 한 인생에 치열한 업보의 정리과정이 몰렸을 뿐이다. 그러니 현재의 내 존재를 자괴(自愧)할 것까지는 없다.

업보를 갚는 것은 시간의 흐름 속에 한 영혼이 자기 전생의 업적을 보상하는 일도 있지만 인륜으로 맺어져 동시대에 함께 사는 영혼끼리도 있는 일이다. 선행(善行)으로 가족의 죄를 대신 갚는 것이 그런 것이다.

금생에 저질러온 일로 늘어날 악업을 보상해주는 가까운 인연의 누군가 있으리라. 형제와 가족은 내 손에 죽거나 눈치보고 움츠려 있느라고 선행을 할 겨를도 없다.

왕은 그동안 권력투쟁에 골몰하느라 잊고 있었던 신미대사(信眉大師)가 생각났다. 현재 어느 측근 신하나 가족과도 상의하지 못하는 번민과 곤경을 벗을 길을 그를 만나면 찾으리라. 자기의 업보를 상쇄하는 인연이라고 믿어지는 신미대사를 찾아 속리산 법주사 복천암을 방문하기로 했다.

한 영륜(靈倫)에 속한 유사한 영혼 다수가 지상에서 공동과업을 추진하기로 천상에서 협정을 맺으면 지상에서 커다란 인연의 고리로 실현된다. 가업(家業)이란 한 영륜에 속한 神明들이 교대로 혼(魂)을 생성해 세상에 태어나와 지상에서 공동의 목표를 향해 활동하는 것이다. 神明은 영에서 지상에 혼을 파견하면서 지상의 육체에 깃든 혼을 다스리는 영적주체이다.

대를 잇는 가업 중에 으뜸가는 것이 지금은 유행이 대폭 지났지만 왕조에 의한 국가경영이다. 하지만 한반도민족의 경우엔 아직도 절반의 땅에 그 체제가 유지되고 있으니 그렇게 생소하지는 않을 것이다. 국가경영의 권한을 갖지 않는 입헌군주제는 해당이 안 된다.

한 무리의 영혼군집의 수련을 위한 생활환경을 개발하여 새로이 지상에 조성하기로 천상에서 결의한 신명들은 지상에서 왕조를 형성한다. 왕이 될 영혼들이 왕조의 과업을 위하여 교대로 지상을 다녀오고 간혹 중복해서 다시 태어나기도 하는 동안 왕조는 이어진다.

하늘에서는 해동(海東)의 반도를 관장(管掌)하고자 연(緣)을 모은 신명들이 각기 순서를 정해 이 땅에 태어나면서 왕좌를 이어가기로 작정했다. 이들 영륜의 모임을 왕격신명단(王格神明團)이라고 한다.

왕격신명단의 신명들이 저네의 영들로부터 생성한 혼은 왕가에 태어나 왕업을 실현하는 것이 우선이다. 하지만 왕가에 태어난 영혼이 전생 그리고 다시 태어나기 전까지 천상에서 지낸 간생(間生)을 지내는 동안 왕업실현의 준비가 충분하지 않았다면 부족한 만큼의 업적을 지상에서 보충해야 한다. 이 과정에서 경쟁상대를 누르면서 쉬이 악업을 쌓는데 이로 인해 왕가에 쌓일 액운은 별도로 선업을 쌓아 막을 필요가 있다. 선업을 쌓아줄 영혼은 같은 왕격신명단에 속하면서도 왕위에 오를 영혼보다 상위의 영격이어야 한다.

태조에서 태종 그리고 세종에서 세조를 거치는 동안의 왕실의 죄업을 상쇄시키며 속세의 부귀와 권세를 초탈하며 오직 조선의 백성과 민중을 위해 왕실을 도와 우국이세(祐國利世)의 과업에 생애를 바친 혜각존자(慧覺尊者) 신미대사는 서력기원으로 일천사백삼년에 충북영동에서 옥구진병마사(沃溝鎭兵馬使) 김훈(金訓)을 부친으로 속명 김수성(金守省)으로 출생했다.

수성의 영혼이 천상에서 조선이란 나라를 설계한 왕격신명단의 일원으로서 조선왕조의 업적관리를 위하여 왕가 대신에 택해 태어난 집안은 유학(儒學)을 공부시키는 문벌귀족이었다.

태어나자 문중 사람들은 대경실색했다. 아기의 왼손바닥에 임금 왕(王)자가 새겨 있는 것이었다.

아기가 핏기가 가시고 제 용모를 드러내면서부터는 비범한 근골(筋骨)의 제왕의 상(相)이 나타나기 시작했다.

- 이미 고려의 왕실이 끝나고 새 왕실이 시퍼렇게 자리를 잡아가고 있는 이때에 제왕의 상을 가진 아이를 키우는 것이 발각되면 아이는 물론이고 문중 전체가 화(禍)를 입을 것이오.

부모와 삼촌들의 걱정으로 수성은 손바닥을 밖으로 보이지 않도록 늘 조심하며 살아야 했다. 그러나 수성은 이것에 불만을 갖지 않았다.

- 손바닥을 상대에게 벌려 보이는 것은 욕심을 가지고 무엇을 달랄 때나 있는 일입니다. 남에게 무엇을 줄 때나 학문을 위해 독서할 때나 손바닥은 보이지 않습니다.

아이답지 않게 평소에는 과묵하나 상황에 필요한 말은 반드시 하였고 내놓은 말은 듣는 이에게 깨달음을 주었고 질의가 이어져도 막

힘이 없었다.

마주할 때 내뿜는 안광에는 제왕의 위엄이 서려 있어 집안어른들도 결코 어린아이로 대하지를 못했다. 기품과 행실 모두가 여염집이 아닌 왕실에 어울리는 고상한 품격을 보였다.

이를 어찌 보아야 하나. 유교의 관점에서는 어디까지나 신하의 신분으로 태어났으니 제왕의 품격 운운하는 것부터가 不敬스러울 뿐이다. 그러나 불교의 안목을 가진 몇몇 집안사람들은 수성의 탄생은 하늘에서부터의 곡절이 있었으리라고 입을 모았다.

어릴 때는 곧잘 王者의 위엄을 갖춰서 집안사람들을 대하고 집안사람들은 일견 대견히 보다가도 눈빛이 발산하는 위엄에 잡혀 아이 수성을 신중히 대하곤 했지만 열 살을 전후하여 수성은 유가의 장유유서(長幼有序)의 교의(敎義)에 충실했다. 아무리 천상의 신명계(神明界)에서의 지위가 있거나 전생에 지상에서 겪은 삶이 고귀했다 하더라도 현생에서 주어진 본분으로서의 경험에 충실하기 위함이었다.

사서삼경을 완학(完學)한 수성은 외조부로부터 성리학(性理學)의 가르침을 받았다.

- 인간이 세상의 물욕을 따라 살게 되면 우주의 조화에 따라 존재하는 자기의 본성을 잃게 되어 탄생의 소명을 따르지 못하게 된다. 인간은 이(理)에 따른 존재이니 기(氣)의 흐름에 휩쓸리지 말아야 한다. 氣로 인해 구(具)가 생성됨은 본(本)을 충실케 함이지 本을 흩뜨

리자는 것이 아니다. 너도 사내로서 자라남에 따라 남을 억누르고 여자를 취하고자 하는 욕구가 자라날 것인데 그런 것은 한낱 氣의 흐름에 따른 덧없는 현상일 뿐이고 氣를 우주의 질서에 조화시키고자 노력하는 군자의 길을 걷도록 할 것이다.

- 말씀을 좇아 학문(學問)에 정진(精進)하겠습니다. 하오나 무릇 인간의 도리가 그러할진대 저 밖의 상민백성들은 살아가기 위해서는 늘 의식주를 걱정해야 하고 남자들은 성년이 되어 여자를 원해도 절로 얻어지지 않아 고난과 위험을 감수하는 일이 허다합니다. 그러한 저들로서는 물욕(物慾)과 정욕(情慾)을 멀리하라는 말이 공허할 뿐일진대 공자(孔子)와 주자(朱子)의 가르침이 무슨 소용이 될까 염려되옵니다.

수성의 물음에 외조부는 한동안 답이 없었다. 그러다 수성의 기다림이 민망하여 이윽고 한 마디 해주었다. 그러나 그것은 수성이 기대했던 바와는 동떨어진 것이었다.

- 군군신신(君君臣臣)이라 하지 않느냐. 우리가 군주를 섬기며 우리의 본분을 지켜야 하듯이 저들은 저들의 맡은바 본분을 다하는 것이 도리일 뿐이다.

그리고는 더 이상의 해명은 해주지 않았다.

수성은 외조부에게서 물러나면서도 생각에 잠겼다. 성리학의 가르침은 우주와 인간의 존재원리를 설명하고 있다. 특히 공맹(孔孟)의 구(舊)유학과 달리 신유학인 성리학에서의 한문자(漢文字)에 관한 해석은 옛 시절 인간에게 문자를 내려준 신인(神人)들의 취지(趣旨)를 복원하는 듯 심오하다.

인간 모두가 이러한 가르침을 따를 수 있다면 극락정토의 지상실현이 아주 멀지는 않을 것이다. 그러나 나라의 근간인 백성 대다수가 이 가르침을 받지 못하고 있는데 이대로 유학과 성리학만을 새로운 나라 조선의 지도이념으로 한다면 백성 대다수는 인간으로서의 본분이라 할 영적수양의 기회가 대폭 줄어들 것이 아닌가.

그들에게는 그저 본분을 지켜 상전에게 순종하라는 것이 가르침의 전부가 되어야하는 것인가.

그럴 수는 없다. 이제껏 이 땅의 지도이념이 그러하지도 않았다. 부처님의 자비하에 중생은 다 같이 자기의 업을 다듬어 해탈에 이르라는 불교의 가르침에 따라 이 땅의 백성은 양반 상민 할 것 없이 생명의 존엄을 자긍(自矜)하며 선업(善業) 쌓기에 노력하며 살아왔다.

그렇게 천년을 넘게 살아온 이 땅의 백성에게 조상부터 누적된 덕업(德業)을 버리고 그저 자기의 본분에 맞게 순종하며 살아가라는 단순한 가르침에 맞춰 살라고 한다면 중생영성계도(衆生靈性啓導)의 대승대의(大乘大義)에도 맞지 않는 일이다.

조선은 고려를 승계하여 세운 나라이지 이민족(異民族)이 침입하고 정복하여 본래의 백성을 멸망시키고 세운 나라가 아니다. 그렇다면 지나온 정신을 모두 이어받아야한다.

그런데 지금의 세상에 출세를 위해서는 모두 유학의 습득(習得)만을 길로 여기고 그리만 몰리고 있다. 물론 고려시대에도 유학자들이 제도권의 지도계층에 있었지만 승려 또한 높은 대우를 받았기에 학문의 능력과 제세(濟世)의 의욕을 가진 자들이 자연스레 佛門에 들곤 했다.

하지만 지금은 굳은 결심이나 기구한 사연이 있어 속세와 인연을 끊으려는 자들만 불문에 들어서는 것으로 변해가고 있다.

수성은 가풍에 따라 성리학을 공부하면서도 이 땅에 이어지는 나라의 정신을 올바르게 유지하려면 불교의 가르침이 퇴색되지 않아야 함을 인식하고 佛學의 습득을 게을리 하지 않았다. 기실 불학을 공부하면 성리학의 주의주장이 더욱 명확히 이해되는 것이었다.

수성의 佛學공부는 그의 운명을 준비하는 과정이었다.

불경을 백성 모두에게

불교를 향한 수성의 마음의 실현은 그렇게 행복한 과정을 거치지는 않았다.

아버지 김훈은 수성이 태어나기 전 정종(定宗) 원년 무과에 급제하여 옥구진병마사로 있던 중에 불효가 죄목이 되어 처벌받게 되었다.

지금으로서는 국가의 관리가 가정사인 불효를 이유로 처벌받는 것이 부자연스러워 보이지만 정치적으로 누군가를 제거하려면 어떠한 구실이라도 잡아 처벌하기는 예나 지금이나 같았다. 대한민국에서도 건국이후 가치관의 주류인 기독교사상의 일부일처제에 위배되었다고 하여 혼외의 애인을 두거나 두었다고 의심되는 공직자를 처벌 혹은 퇴출하는 공작이 빈번한데 역시 건국초기인 당시 조선사회는 유교사상의 철저한 준수가 관리들에게 요구되었으니 유교의 중요가치인 효에 위배된 행위는 탄핵에 좋은 구실이었다.

수성의 증조모의 사거(死去)로 부친 김훈은 조모상을 당했는데 가족과 함께 빈소를 지키던 김훈은 돌연 나들이 채비를 하는 것이었다.

- 아니, 자네 지금 어딜 가려하는가.

문중어른이 놀라 물었다.

- 내일이 상왕전하를 뵈러 올라가기로 한 날입니다.

- 지금 어찌 가능하겠는가. 탈상 후에 가뵈도록 하게.

문중어른은 상경취소를 권하기는 했으나 김훈을 나무라지는 않았다. 상왕 정종이 상감의 자리에 있을 때 김훈과의 돈독한 관계를 잘 아는 까닭이었다.

- 지금 이 자리를 떠난다는 것이 불효막심한 처사임을 알고 있습니다. 하지만 유가의 가르침에도 자식의 부모에 대한 효보다 앞서 있는 것이 신하의 군왕에 대한 충성입니다. 상왕께서는 재위하실 때 저를 참으로 아껴주시어 우리 문중전체가 받은 혜택도 많습니다. 지금 인덕궁(仁德宮)으로 물러나셔 적적한 나날을 보내고 계신데 저마저도 들러보지 않는다면 매우 상심하실 것입니다.

- 군신(君臣)의 의(義)는 주상전하께 바치는 것이 아니겠나. 지금은 새로 등극하신 주상(主上)이 계시지 않은가.

- 부자간의 인연이 천명(天命)에 의한 것이듯 군신의 관계도 천명

에 의한 것입니다. 저는 이미 상왕전하께 충성을 맹세했던 몸입니다.

문중어른들은 걱정이 되면서도 끝내 말리지 못하였다. 나라의 봉록(俸祿)을 받는 자로서의 충성대상은 응당 나라를 책임지는 현직의 군왕에게 바쳐야하는 것이겠지만 고려조에서 조선으로 넘어오면서 유교사상이 강조되는 세태에서 오직 한 임금을 섬기겠다는 마음을 나무라기는 어려운 것이었다.

이렇게 김훈은 상경하여 인덕궁의 상왕(上王)을 찾았다. 낮에 도착하자 상왕은 반가워하며 저녁에 즐거운 자리를 만들 것이라고 했다.

- 오늘 저녁 연회를 배설할 것이네. 그대도 참여하여 마음껏 즐기세. 혹시 아끼는 미색이 있으면 동반해도 좋네.

- 전하 지금은...

김훈은 자신이 상중이라는 말을 하려다 중지했다. 한창 흥이 나려는 주군의 마음에 찬물을 뿌려 심중을 무겁게 만듦은 不敬스럽다 생각되었다.

- 지금이 어떻단 말인가.

- 예, 지금은 아직 데려오지를 못했으니 저녁에 데려오겠습니다.

- 원 그대도... 그럼 과인을 만나러 오면서 기생을 미리 데려왔어야 한단 말인가. 유시(酉時)부터 있으니 그 때까지만 준비를 하면 되네.

- 알겠사옵니다.

김훈은 상왕의 저택마루에서 안부인사와 새 상감 아래서의 직무에 관한 대화를 나누고는 일단 그곳을 나왔다. 그리고 잘 아는 기생집으로 갔다.

김훈의 눈으로 기생 벽단단(碧團團)은 양귀비를 넘는 절색으로 보였다. 술자리에서의 창가솜씨도 좋아 그녀가 속한 기생집에 자신과 그녀의 전용 방을 마련하고는 들를 때마다 함께했으니 첩이나 다름없었다.

자기가 가장 아끼는 보물을 섬기던 주인에게 바치고 싶어 벽단단을 상왕과의 저녁잔치에 데려갔으니 그렇게 기생첩을 데리고 상왕의 잔치에 참여한 행적이 완성되었다.

- 과인의 적적함을 헤아려 이리 찾아와준 것이 너무도 고맙소.

상왕은 자신이 보관하고 있던 귀한 의복을 하사했다.

김훈의 이러한 행적이 알려지자 사헌부(司憲府)에서 탄핵했다.

- 김훈이 조모상 중에 유희를 행한 불효는 유교를 국시로 하는 나라의 관리로서 엄중한 결격에 해당되옵니다. 더욱이 나라의 녹봉을 받는 자로서 조정 바깥에서 은퇴하여 계시는 상왕전하를 사사로이 문안하여 주상전하의 통치체계를 어지럽힌 불충은 용서될 수 없사오니 김훈의 직첩(職牒)을 거두고 국문(鞫問)하여 율문(律文)에 따른 죄를 내리소서.

정치적으로 견제대상이 된 자에게서 실정법으로도 저촉되는 비리가 드러나면 그 공격은 제철을 만난 듯 강해지는 것은 예나 지금이나 다름없는 것이었다. 제일차왕자의 난을 일으킨 태종 방원(芳遠)이 스스로 등극하기 면구스러워서 억지로 올린 왕이었던 정종 방과(芳果)는 이 년 후 방원에게 자진해서 왕위를 이양했지만 그것이 진심이라고 믿는 사람은 없었다. 허수아비 왕으로 있었다 해도 애초 방원의 쪽에 충성하지 않았던 세력은 방과의 체제가 계속되길 원했다. 그러다 다시 제이차왕자의 난을 계기로 실세를 가진 방원이 왕이 되니 방원에 충성하는 신하들은 지난 두 해 동안 상왕 방과 아래 모였던 신하들을 제거하고자 했다.

방원 또한 두 해 동안 마지못해 자리를 내준 때문에 자신의 권력이 손실되던 것을 급히 보상(補償)하고 신하들의 행동지향을 통일시킬 필요가 있었다. 신하들의 주청(奏請)은 체면상 대놓고 하기는 어려웠던 상왕과의 형제간 권력다툼을 대신 해주는 것이니 고마운 것이었다.

왕은 상소를 받아들여 이미 고향에 있던 김훈을 불러 곤장을 치고 전라도로 귀양 보냈다.

사헌부가 왕을 향한 충성에서 점수를 땄으니 다른 신하들도 가만 있을 수 없었다. 사간원(司諫院)에서는 김훈을 극형으로 다스려야 한다고 탄핵했다. 효를 중히 여기는 유교국가라지만 집안의 사사로운 불효만으로 극형이란 곤란한 것이었다. 근거는 상왕에게 아첨하여 나라의 기강을 흔들었다는 것인데 비약하면 역모로도 몰 수 있는 것이었다. 지나친 호들갑임을 스스로 알 수 있으면서도 사간원 신하들은 충성을 경쟁하며 강력히 주청했다.

- 상왕은 나를 방문하고 나 또한 상왕을 방문하여 서로 즐거이 우애를 나누는 사이인즉 가까웠던 자에게 극형을 주어 상왕의 마음을 동요케 함은 국태(國泰)에 보탬이 되지 않느니라.

왕은 김훈에 대한 처벌을 기왕에 내린 정도에서 그치게 했다. 상왕의 잔존권력을 견제하는 일에서 악역을 맡고 왕의 덕망을 돋보이게 했으니 사간원 신하들도 헛일을 한 것은 아니었다.

이미 김훈의 집안 즉 수성의 집안은 가세가 기울었다. 그것은 수성으로 하여금 유학자로서의 벼슬길을 버리고 승려가 되는 과정을 자연스럽게 해주었다. 만약에 집안이 계속 융성하였다면 수성이 집안 어른들의 기대를 저버리고 승려가 되기 위해서는 모진 개인적 명분을 찾아야 했을 것이다.

설령 집안이 화를 맞지 않고 계속 융성하여 수성이 나라 안 귀인들의 주목을 받아도 어쩌면 집안이 더 큰 화를 입었으리라는 집안어른들의 한탄인지 위안인지 모르는 푸념도 있었다. 건국초기 권력투쟁의 살기가 곳곳에 등등한 시대에 수성에게서 풍기는 王者의 풍모는 대견히 보고 우러를 것이 아니라 경계하고 도모해야 할 대상일 것이었다.

그전에도 수성의 가정생활은 원만한 것이 아니었다. 왕재(王材)가 여염집에 태어난 것이 집안사람의 안타까운 존숭으로만 이어진 것은 아니었다. 소년 때부터 집안을 일으키기에 필요한 입신출세의 길에 관심을 두지 않고 가당찮게 온 백성을 구제할 길이나 걱정하는 수성은 집안사람들에게 수상유적(水上油滴)과 같은 존재였다. 설령 수성의 비범함을 인정한다더라도 집안에 언제 닥칠지 모르는 파국의 싹인 양 간주하며 두려움으로 대했다. 그러다 수성의 부친이 먼저 집안의 근심보(謹心褓)를 터뜨린 것이 어쩌면 소화(小禍)로 대화(大禍)를 대신한 것일지 모른다는 것이었다. 수성은 여타의 집안사람들과는 애초에 인연의 근본이 다른 것 같았다.

가족은 천륜(天倫)과 인륜(人倫)으로 구성된다. 천륜은 서로가 지상에 탄생하기 전에 하늘에서 이번 인연을 맺을 준비를 마쳤기에 서로의 탄생이 완료되면서 곧바로 시작되는 인연이다. 부자관계 형제관계 등의 이른바 피를 나눈 가족관계이다. 인륜은 각자가 탄생하기 전에 하늘에서 이번 인연에 따른 약속을 했던 것은 마찬가지나 지상에서 서로를 인식하는 과정을 거쳐 예정된 관계를 맺는다. 인륜지대사(人倫之大事)라는 결혼을 비롯하여 군신(君臣)관계 교우(交友)관계 들이 있다.

하지만 인간사회의 질서라는 가치를 통합적으로 지칭하자면 인륜으로 부른다. 천륜이라고 부름은 하늘의 인륜이라는 뜻으로서 인간세상에서 혼자(魂自)의 의식적인 판단이 없이 결정되니 하늘이 맺어줌을 강조함이다. 사실 인륜 倫자 하나에 '人'륜이라는 뜻이 들어가 있으니

人倫이라 부름은 편의적인 것으로서 人이 두 번 겹쳐있는 셈이다.

倫은 둥근 뭉치를 뜻하는 륜(侖)에 人이 더해진 것이다. 즉 사람들로 이루어진 둥근 뭉치이다. 가까운 인연이 있는 사람들의 집단이고 이 집단은 질서로써 유지되고 있다.

하늘이 문자를 인간에게 내릴 때 그 기초는 우주의 진리였다. 성리학도 性과 理와 같은 글자의 근본진리를 찾고자 한다. 倫이 지상에 사는 사람들이 질서 있게 함께 뭉쳐있음이라면 여기서 人변을 뺀 글자인 侖은 세상에 육체를 가지고 사는 인간보다 더 본질적인 존재가 뭉쳐있는 집단이다. 가까운 영혼 즉 친영(親靈)들의 모임이다. 이들은 인간의 몸을 입어 지상에 태어날 때도 서로 밀접한 인연을 맺어 인륜의 집단을 형성한다. 그러나 영혼의 유사(類似)함이 그대로 지상에서의 밀접한 인연의 인륜으로 이어지는 것은 아니다. 본래 천상에서 유사한 영혼끼리의 뭉치 즉 한 영륜(靈侖)에 속했던 영혼이라도 지상에서는 별도로 태어날 수 있다.

지상에 태어나 왕가(王家)라는 한 인륜(人倫)을 형성하여 국가경영을 협업하기로 했던 영륜의 구성원들이 왕가에 태어나는 중에 정작 그들 중에서 지도급인 한 영혼은 여염집에 태어나 수상유적의 상태로 시험받고 있는 것이다.

한 집안으로 인륜이 가깝게 태어났지만 본래 차이나는 영륜으로부터의 강생(降生)이어서 집안사람들 대부분과 영격(靈格)의 차이가 크면 집안에서는 일면 존숭하다가도 일면 질투가 횡행한다.

영혼은 상위영격과 인연을 깊이하려 한다. 물론 존숭의 방식으로 그리할 수 있으나 현실은 인륜에 따르지 영륜을 따르지 않는다. 하위 영격의 현신이 집안의 윗사람이라는 권위로 행실을 통제하고 갈등을 유발하는 관계가 되어도 여하간 상위영격과의 인연은 깊어진다.

아버지가 귀양간 후 형 수행(守幸)이 수성을 불러 앉혔다.

- 아버지가 파직이 되셨으니 이제 우리 집안은 명예가 드높은 벼슬이 불가하게 되었다. 너는 집안에서 기대를 안고 있으면 그에 보답하여 실익을 얻는 길로 나가야 하지 않겠느냐. 역량을 수리(收利)에 맞춰 집안의 재건을 위해 일해야 하지 않겠느냐. 우리 다음 대라도 기를 펴고 살 수 있도록 축재(蓄財)에 힘을 보태라. 내가 아버님 친구쪽을 알아봐서 병기제조납품독점권을 얻으려 하니 너는 왜(倭)와 명나라에서 값싼 재료들을 찾아서 수입하는 일을 맡아봐라. 너는 한문을 잘 아니까 그들과 필담이 되지 않겠냐. 쓸데없는 불교책 같은 건 보지말고... 그건 이미 시대가 지났다.

수성으로서는 딱히 명분이 서지 않는 영리사업은 몸속으로부터 본능적인 거부가 일어나는 것이었다. 그러나 당장에 거절하기는 곤란하니 커지는 것은 형과의 갈등이었다. 형 수행은 집안사람들에게 수성이 자기만 알고 집안을 생각할 줄 모르며 스스로도 쓸데없는 불교책이나 보고 무위도식하는 자라고 말하곤 했다. 자라면서는 동생의 지나친 준수함에 위축되어 지냈으나 이제 바뀐 집안환경에서 너 같은 무용한 책상물림은 집안에 소용이 없다고 기회만 되면 질타했다. 수성은 인륜의 덫에 갇혀 있으니 당장에는 헤어날 방도가 없었다.

그러나 오래전부터 은근히 꿈꿔왔지만 결행하기가 두려운 감이 있어 미뤄왔던 것을 이제 과감히 실행하도록 여건이 마련되는 것이었다. 그전부터 수성은 자기의 본성이 가풍과 자연스레 함께하지 않는 느낌으로 말미암아 아직 설명할 수는 없지만 자기는 천상에서 속했던 영륜과는 다른 집안에 태어났음을 인식했다. 영륜이 일치하는 집안에 태어난 것이 아니니 이 집안에서의 자손 잇기 또한 의미가 없을 것 같았다.

집안에서 동생 수온(守溫)은 수성을 이해하고 따르는 거의 유일한 가족이었다.

- 나는 아무래도 출가를 결심해야 할 것 같다. 마침 집안형편도 이리되었으니 내가 보탬이 안 될 바에야 한 사람이라도 줄이는 게 좋겠다. 형님은 기왕에 내게 실망하셨으니 말할 나위가 없고 집안 어른들 모두 내가 석교(釋敎)에 관심 두는 것을 알고 계시니 내가 떠났다고 해서 그리 놀라지는 않으실 것이다. 그전부터 내가 정상적인 인생을 살기에는 난관이 많으리라 걱정해주시던 바이니 내 일은 스스로 책임지겠다는 것이 당신들께 심려는 되지 않을 것이다.

- 저도 기회를 보아 형님을 따라 출가를 할까 합니다. 이런 세상에

서 아버님께서 불명예를 당하셨으니 출세는 가능하지도 않고 떳떳하지도 않습니다. 형님을 따라 성불의 길을 찾겠으니 자리를 잡으시면 기별을 주십시오.

- 출가는 세상에서 도피하기 위한 것이 아니다. 나는 진작부터 관심사가 양반가의 당위를 벗어난 문제가 있었지만 너는 어른들께 걱정거리를 만들어드림이 없이 공맹(孔孟)과 성리(性理)를 공부해왔다. 때를 기다림이 현명할 것이다. 아버님이 역적죄를 받으신 것은 아니니 우리가 비록 명문가의 특권은 잃었다고 해도 재산도 그대로 있고 공부하면 유생으로서의 처신은 가능하다. 형님은 학문의 길을 원치 않으시고 내가 출가를 결심했으니 네게 집안의 양반명맥을 이어가라 청하기가 형으로서 면구스럽기 짝이 없지만 지금 이 길 말고는 다른 길이 없구나. 훗날 인연이 허락하면 내가 네게 도움이 될 일이 있을지 어찌 알겠느냐.

동생의 출가를 만류한 수성은 다음을 기약하고 헤어져 집을 나섰다.

수성은 겨울에 법주사를 찾았으나 때맞춰 굶주려 찾아온 수많은 거지들에 섞여 홀로 주지를 면담하겠다고 주장하기 어려웠다. 그리하여 산속으로 더 들어가 복천암을 찾아 그곳의 주지와 면담하고 마침내 출가할 수 있었다. 법명을 신미(信眉)라 하여 그 의미는 사람의 눈썹 끝 가장자리까지 그리고 세상의 끝자리까지 삼라만상에 임재(臨在)한 진리의 올바름과 부처님 주재(主宰)의 선하심을 믿음이었다.

신미는 인간과 우주에 관한 진리를 제한 없이 가르치는 불교의 매력에 빠져들었다. 바깥에서 기회가 닿으면 한두 권의 경서를 읽어보았던 것과는 달리 방대한 경서들을 관심가는 대로 읽고 비교하며 의미를 탐구할 수 있었다.

속가에서 유가의 사서삼경을 모두 학습하고 출가한 신미는 해인사장경 인쇄본을 열람하다 유교경전을 읽을 때와는 다른 문제점을 발견했다. 유교경전은 문자 하나하나를 그 뜻을 깊이 새길수록 문장의 의미가 명확히 들어오지만 불교경전은 문자의 뜻에 집착하다가는 전체문맥에 맞지 않는 불필요한 의미들이 집중력을 교란하는 것이었다. 특히 문수보살(文殊菩薩) 등 제신(諸神)의 명칭에서는 더욱 엉뚱하게 생각되는 의미들이 혼합되어 혼란을 주는 것이었다. 본래의 명칭을 음역한 것이니 개의치 말고 읽어나가라는 선배 승려들의 조언이 있었지만 진리를 향해 굴속이라도 파고들고 싶은 신미의 성격으로서는 개운치 않은 감을 남기는 것이었다.

고승(高僧)들에 의하여 번역된 경전들도 물론 중요하다. 그러나 부처님이 말씀하던 그대로의 경전도 읽어 봐야 부처님의 말씀을 중생에게 더욱 정확히 전달하는 소임을 다할 것이다. 이렇게 신미는 결심했다. 오늘날 같으면 기독교 성경을 가르치는 목회자가 히브리어와 헬라어 성경을 알아야 하는 것처럼 신미는 그 당시에 외래교리를 민중에게 전달하는 성직자로서의 자격을 의식했다.

물론 그렇다고 한문경전만을 보는 승려가 성직자로서 부족하다는 것은 아니었다. 불교는 중세기를 거치면서 인도에서는 거의 소멸되었으며 중국에서 번성하였다. 인도에서 불심을 닦은 영혼들이 중세 이후 집단으로 중국으로 옮겨가서 환생했다. 애초에 범어(梵語)를 사바세계에서의 진리채집을 위한 색안경으로 사용하여 수도했던 영혼들이 색안경을 바꿔 한문으로 진리를 채집하여 다시 수도함으로써 사바세계에서의 진리전달 목적이 그 통용하는 언어의 한계로 인해 걸러지거나 왜곡되는 것을 최소화했다. 전생에 범어로 불경(佛經)을 공부하고 수도했던 자가 비록 할 수 있는 한 진리에 가까이 가고자 노력했다고 하더라도 상위차원에서 존재하는 지극히 섬세한 진리명제를 하위차원의 사바세계에서 육체에 깃든 혼자(魂自)끼리 통용하는 인간언어로 걸러 채집한 것은 완전할 수 없었다. 진리는 너무도 눈부셔 魂自가 투명안경으로 그대로 받아들이기는 불가능하다. 이러므로 문화권을 바꾸어 태어나 진리채집을 위해 착용하는 색안경을 바꾸어본다. 전생에 관찰한 진리가 영혼의 神明에 간직 되고 있는 중에 이제 다른 색으로 다시 관찰한 진리의 빛을 덧입히면 더욱 완전한 진리의 정보를 영혼의 神明에 간직하게 된다.

그렇다면 영혼이 魂自로서 육체에 깃들 필요가 없고 신명계의 완전진리를 그냥 공부하면 될 것 아닌가 생각될 수도 있다. 물론 신명계에서의 진리학습도 있기는 하지만 현실계에서의 학습이 필요한 이유는 진리는 단지 아는 것이 아니라 실천의 경험이 또한 중요하기 때문이다. 영혼은 의식수준의 향상을 위해 지상의 물질계에서의 하부법칙과의 갈등을 이겨내야 하는 것이다.

신미는 한문경전들이 마음에 차지 않아 부처님의 뜻에 가장 근접한 범어경전을 보고자 범어를 공부했다. 한문번역한 중국의 고승들의 수도와 깨달음의 경지를 인정한다고 하더라도 처음 설법한 부처님의 말씀에 가까운 건 범어경전이다. 인도지역에서 범어로 경전을 공부한 전생의 경험이 적거나 없는 승려는 한문경전으로도 불만을 안 가진다. 저들은 신미가 한문경전에서 느끼는 불필요한 의미들 즉 한자의 의미를 반영하면 때로는 문맥 전체에 부조화가 일어나기도 하고 주술적 효과로 부작용을 초래하기도 하는 성분을 당연히 있는 것으로 보아 넘긴다. 하지만 신미는 이미 잠재의식에 전생에서의 범어경전학습의 지식이 충분히 쌓였다. 딱히 가르치는 스승도 없이 홀로 범어자료를 찾아 공부하고 체득한 것은 그 때문이었다. 이번 생에서 한문경전을 공부하여 진리를 또 다른 색안경의 측면에서 공부한 것도 나름 의미 있는 일이지만 은연중에 부처님의 말씀을 가까이서 받아 적은 범어경전을 향한 그리움이 일어남은 필연이었다.

한문경전에서 한자로 범어를 받아 적은 것은 마치 이두(吏讀)를 사용하여 우리말을 받아 적은 것과 같이 불필요한 의미가 넘쳐난다. 범어나 우리말이나 본래의 소리가 있는데 하나하나 모두 뜻을 가진 한

자로만 기록하려니 그런 일이 일어나는 것이다.

그렇다면 본래의 범문(梵文)경전에서 범어의 소리를 적듯이 우리나라의 승려들이 불경을 읽고 신도에게 설법할 때의 그 말씀 그대로를 소리로 받아 적는다면 어떨까. 한문경전보다 더 백성을 향한 포교에 효과적이지 않을까. 이것을 인쇄하여 백성 누구나 읽게 한다면 설법하는 승려를 백성이 직접 만나지 않아도 부처님의 가르침을 받지 않을까.

신미는 자기에게 일어나는 소명의식으로 가슴이 뛰었다. 그전에도 설법을 우리말로 전할 때 이두를 사용하여 전하기도 했지만 한문경전보다 결코 쉬운 것이 아니어서 글로 기록해 놓는다고 해도 일반백성에게 널리 알릴만한 것이 아니었다.

- 우선 이두를 자세히 살펴서 우리말의 표음을 어떤 방식으로 하고 있나 알아야 한다.

생각한 신미는 이두로 된 향가를 살펴보았다.

우선 안민가를 보았다.

安民歌

君隱父也

臣隱愛賜尸母史也

民焉狂尸恨阿孩古爲賜尸知

民是愛尸知古如

窟理叱大肹生以支所音物生

此肹喰惡支治良羅

此地肹捨遣只於冬是去於丁爲尸知

國惡支持以支知古如

後句君如臣多支民隱如爲內尸等焉

國惡太平恨音叱如

임금은 아비요

관리는 사랑주시는 어머니요

백성은 철없이(狂) 보채는(恨) 아이와도 같으니

백성이 사랑받음을 알게 하여

곳곳(窟)마다 부대끼며(理) 소리 지르며 살아가는 중생을

이렇게 달래고 먹여서 다스리라

이 땅을 버리고 어디 가서 어찌하랴

나라 안에서 지키고 살아야 하리

아 모두가 임금답게 관리답게 백성답게 지내면

나라 안은 태평한 소리로 가득할 것이다

축복의 노래에 尸자 惡자가 있는 것이 거슬리는데 전체와 어울리는 뜻으로 해석하지 않고 음으로 읽는다는 것을 표시하자니 일부러 전체와 어울리지 않는 나쁜 뜻의 글자를 넣은 것 같았다.

당시 신라 경덕왕(景德王) 시대에는 백성들이 왜로 자꾸 빠져나가는 것을 막아야 했다. 지금 조선은 나라가 잘되어 오히려 왜로부터의 귀화자가 많으니 그런 걱정은 없다. 당시에는 노래로 권하는 정도였지만 앞으로 혹시 나라가 잘되지 못하면 백성을 붙잡아야 하는 상황이 올지도 모른다. 나라를 빠져나가지 못하도록 국경을 감시할 수도 있고 이웃나라가 나쁘다고 과장하여 거짓선전을 할 수도 있다. 일부러 나라의 문자를 바꿔 이웃나라와 소통이 불편하도록 할 수도 있다. 이런 부도덕한 나라가 되지 않으려면 좋은 나라가 되는 수밖에는 없다.

생각하며 신미는 이 노래를 음미했다.

다음은 우적가를 보았다.

遇賊歌

自矣心米 皃史毛達只將來呑隱日

遠鳥逸○○過出知遣

今呑藪未去遣省如

但非乎隱焉破○主

次弗○史內於都還於尸朗也

此兵物叱沙過乎

好尸曰沙也內乎呑尼

阿耶 唯只伊吾音之叱恨隱潽陵隱

安支尙宅都乎隱以多

참된 제 마음을 알지 못하던

어둡고 어지럽던 날을 멀리 보내고

이제는 은거해서 살려고 했는데

어찌해서 못된 파계주(破戒主) 무리나 두려워할 지경이니

이 꼴로 다시 돌아가랴

이 칼을 맞고 나면

좋았던 인생을 마칠 것이지만

아 요만큼 만한 善으로는

淨土갈 자격이 안 될까 걱정이로다.

승려 영재(永才)는 익살스런 성격에 향가로 유명했다. 구십세 가까워 남악(南岳)에 은거하러 가던 차에 대현(大峴) 고개에서 육십여 도적을 만났는데 죽이려는 칼을 보고도 무서운 기색 없이 태연했다. 도적들이 기이하여 이름을 물어서 영재라 답하니 그 이름을 알고는 노

래를 지으라고 명했다. 영재는 도적들을 승려에게 파계를 유혹하는 파계주라고 칭했다. 도적들이 노래에 감동하여 비단 두 단(端)을 주었더니 영재는 웃고 사양하며 재물욕심이 지옥 가는 근본임을 알고 이제 깊은 산으로 숨어 일생을 마치려는 데 어찌 감히 이런 것을 받겠나 하고 땅에 던졌다. 도적들이 더욱 감동하여 창검을 버리고 머리를 깎고 영재의 제자가 되어 함께 지리산에 들어가 세상에 나오지 않았다고 한다.

신미는 이어 찬기파랑가를 보았다.

讚耆婆郎歌

咽嗚爾處米

露曉邪隱月羅理

白雲音逐干浮去隱安支下

沙是八陵隱汀理也中

耆郎矣皃史是史藪邪

逸烏川理叱磧惡希

郎也持以支如賜烏隱

心未際叱肹逐內良齊

阿耶栢史叱枝次高支好

雪是毛冬乃乎尸花判也

울음(嗚)을 삼키고(咽) 당신(爾) 있는 곳(處)을 그리며 하늘을 바라보매 환하게(曉) 나타난(露) 달무리가 퍼져있다. 달빛이 그물(羅)처럼 물결(理)처럼 번진 것을 달무리라 하는데 月羅理는 끝의 발음도 같았다. 그 달무리가 흰 구름을 좇아서 떠가고 있는 것이 아닌가. 달이 동쪽에서 떠서 서쪽으로 지는 것은 모두가 알고 있지만 달이 서쪽으로 떠가는 것을 사람이 그대로 보고 느끼기는 어렵다. 나뭇가지에 걸쳐 보일 때도 한참을 집중해 바라보면 조금 움직인 것을 알 듯도 하지만 보는 자의 시점이 이동한 탓이 더 클 것이다. 그런데 이처럼 달이 움직이는 것을 보는 것은 달 주위의 구름이 사람이 느낄 만큼 빠르게 움직이니 구름의 무리 가운데 있는 달이 바삐 구름을 헤치고 가는 듯이 보인다. 물가에 모래벌이 여덟 개의 능(陵)처럼 오목볼록하게 쌓인 결을 따라 수풀로 무늬가 돋아 있는데 마치 기랑의 면모와 평생 살아온 이야기가 흰 종이 위에 글씨가 적혀있는 듯이 선명하여라. 이런 물결의 조약돌이 희망하기를 기파랑이 지니시온 마음을 이어받지 못했으나 쫓아가 함께 나란히 되고자 한다네. 아아 겨울에 하늘높이 솟아있던 구름이 얼어 솜털처럼 눈발이 흩어져내려 떨어져 서리처럼 맺히는 것조차도 허용치 않을 드높은 잣나무 가지처럼 고결한 화랑이시여.

눈물을 삼키며 그대 있는 하늘을 보매

나타난 밝은 달무리가

흰 구름을 좇아 떠가는 것이 아닌가

모래벌이 곳곳에 무늬진 물가에는

기랑의 자취가 수풀로 찍혀있도다.

이러한 냇물의 자갈이 희망하길

郞이 지니심과 같으신

마음에 못미치니 따라가 나란히 하고 싶다네

아 잣나무의 가지처럼 높아

서리조차 덮지 못할 고결한 화랑이여

향가는 음과 뜻을 동시에 표하는 일이 많은데 이대로면 후세에 여러 사람들이 자구(字句)의 해석을 뜻만으로 혹은 음만으로 자기 멋대로 해석하여 제대로 전해지지 못할 것이다. 신미는 우리말을 읽는 그대로 기록할 방안을 어서 찾아야 하리라고 생각했다.

세종과 왕자들

세종 왕이 즉위하니 고려조에서 넘어왔던 여러 진통은 잦아들고 오직 새 나라를 반석에 올려놓는 제도와 문물을 정비함이 국왕의 일이었다.

왕모(王母) 원경왕후(元敬王后)는 선왕의 왕자시절 거사(擧事)를 도와 등극에 기여했으나 후에 외척세력을 제거하는 태종 왕에 의해 친정이 멸문당했다.

두 시제(媤弟)를 죽이는 데는 원경왕후의 역할도 있었지만 친정일가의 도움도 있었다. 친정식구는 부귀영화를 얻고자 살상을 방조(傍助)하다 현생에 곧바로 업보를 받았다. 그러나 주동자인 태종과 원경왕후는 피살되거나 급살을 맞지 않았으니 현생에서 행한 일은 그대로 저승으로 짊어지고 갔다.

원경왕후가 행한 가해의 업적이 전생의 피해업적에 따른 보상이라도 그것이 꼭 받은 만큼 되돌린 것이라고 믿을 수는 없다. 전생의 피해만 못한 것이었다면 후생에 모자란 만큼 다시 가해할 것이 예정되어 있다. 전생의 피해에 비하여 지나친 것이었다면 원경왕후는 후생에 지나친 만큼의 피해를 되받아야 한다.

그 모자라거나 지나칠 업보의 오차를 이승이 아닌 저승에서 혼령들끼리의 타협으로 최소화하거나 말소하도록 천상의 혼령들에게 기도하여 후생에 태어날 때 짊어져야 할 업보를 줄이고 혼령이 해탈과 극락왕생에 가까워지도록 해야 한다. 당사자 혼령끼리의 타협은 천상에서 그들을 관장하는 신들이 조정할 것인데 거슬러 올라가 부처님께 공양을 올리면 신들을 화합시켜 영가(靈駕)의 극락왕생을 축원한다.

내불당에서는 원경왕후를 위한 천도재(薦度齋)가 열렸다. 우선 영가의 업장(業障)을 씻는 관욕(灌浴) 의식이 있었다.

영가에게 음식을 베풀고 부처님법문을 들려주는 시식의식(施食儀式)과 영가를 극락으로 보내는 봉송의식(奉送儀式)을 궁궐에서 초빙한 여러 승려가 집전했다.

- 원경왕후께서 생전에 파란이 많으셨고 가솔(家率)간에 참담한 일도 겪으셨으나 그런 중에도 왕실이 변고를 당하지 아니하고 오늘날

이리 반석에 오름은 더 이상의 참사를 억누르고자 여생을 바친 원경왕후의 은덕이니이다. 맹자는 구위선(苟爲善)이면 후세자손(後世子孫)이 필유왕자의(必有王者矣)리니 진실로 선을 행하면 후세의 자손에 왕자(王者)가 나리라 하였습니다. 주역에서도 적선지가(積善之家)에 필유여경(必有餘慶)이니 선업(善業)을 쌓은 집안에는 기쁨이 넉넉하리라 하였고 서경(書經)에서는 작선강지백상(作善降之百祥)이라 선한 일을 지으면 하늘(示)에 제물(羊)을 바친 것과 같아 백가지 좋은 기쁜 일이 내려온다고 했습니다. 주자(朱子)가 일컫듯 옛날 태왕(太王)이 적인(狄人)의 침입으로 영토를 잃었어도 인(仁)한 사람이라 백성이 따르고 후손이 천하를 얻었음이 바로 천리(天理)일진대 아무쪼록 원경왕후의 선업을 이어받은 대왕께서 선정(善政)을 베푸시어 왕실의 덕이 무궁하길 비나이다.

정식의 염불이 끝나고 승려들이 기도를 하는데 한 젊은 승려가 특히 간절히 진실한 태도로 기도하는 것을 보고 왕은 좌우에 정숙을 명한 뒤에 그 승려 가까이서 기도문을 들어보았다.

그 내용은 단지 불교의 경전을 인용하는 형식을 넘어 유가의 경전을 인용하며 유교를 국시로 하는 이 나라 왕실의 건승을 위하여 기도하고 있었다. 교리의 성격상 왕가의 대대로의 융성을 기원하는 명분은 불교보다는 유교의 가르침에서 찾는 것이 적합한 것이었다.

조용히 물러선 왕은 천도재 행사가 모두 끝난 후

- 저 젊은 승려를 내게 오도록 하여라.

하고 명을 내렸다.

보통의 경우는 왕이 갑자기 부르니 긴장과 두려움으로 몸 둘 바 모를 것이지만 그 승려는 떨지 않고 의연했다. 이승에서 도중에 합류하기로 예정된 인연을 당연히 맞이하는 순간에 담담할 뿐이었다. 공손히 차분하게 왕을 향해 합장하며 대기했다. 바로 王者의 영격을 가진 학승(學僧) 신미였다.

- 화상(和尙)과 말씀을 나누고자 불렀소. 스승 함허(涵虛)대사로부터도 불심이 깊은 수제자라고 들었는데 유가의 경전마저 인용하여 기도함은 어떤 의미가 있는 것인지 알고 싶소.

- 전하 우리 조선국은 유교를 국시로 하는 나라입니다. 오늘날 불교에 절제(節制)의 시책(施策)이 있음은 전조(前朝) 동안의 승려들의 일탈행위로 불문인(佛門人)을 배출하는 신명단(神明團)에 주어진 업보라 여기어 마지않습니다. 이제는 유가의 가르침이 백성을 다스리는데 순리로 작용하도록 불가의 진리를 공부한 자들이 유교를 받쳐주어야 하리라 생각되옵니다.

- 대강 무슨 얘기인지 짐작은 되네만 확실히 들어오지는 않소. 화상의 뜻을 쉬우면서도 분명하게 설명해 줄 수는 없겠소이까. 어전의 관행에 맞춰 발언할 것은 아니고 저자거리에서 친구에게 설명하듯이 해보시오.

- 황공하옵니다. 유교의 이론이 세상을 다스리는 올바른 규범을 제시하며 국체융성(國體隆盛)에 소용됨이 탁월하오나 사바세계의 인간욕구와 거슬리는 교도(教導)의 연유(緣由)에 관하여 적지 않은 중생을 미혹(迷惑)에서 해방하지는 못하고 있사옵니다. 사람을 제대로 섬기지 못하면서 어찌 귀신을 섬기며 삶을 제대로 알지 못하면서 어찌 죽음을 알려하겠는가 하는 공자의 말씀처럼 하늘에 태양의 중함을 알고 나라에 주군의 중함을 알며 백성들은 사바세계의 주어진 본분에 충실한 것이 가장 우선됨은 명백하오나 꼭두각시극을 보면서도 극의 재미에 빠지는데 그치지 않고 괴뢰희(傀儡戲)가 어찌 움직이는가를 궁금해하는 관객이 있듯이 세상사의 움직임의 본바탕에 의문을 가지는 중생에게 할 수 있는 한 미혹에서 벗어나오게 하려면 이승과 저승에 공히 통용되는 진리체계가 있어야 할 것이옵니다. 하여 세존의 가르침은 저자거리의 삶을 사는 백성에게도 전달되어야 할 것이오며 유교에 근거하여 백성을 지도하는 데에도 세존의 가르침을 바탕에 둠이 선정의 베풂을 위하여 요긴하다 사료되옵니다.

- 과인도 그런 생각이 있었소. 유교에서는 경세(經世)의 지혜를 주고 백성을 다스림에 좋은 지침을 주고 있지만 백성의 입장에서 생각해볼진대 순종이 미덕이라는 단순교리로 저들의 마음에 일어나는 미혹을 누르고 설복(說伏)이 될까 의심하던 바이었소. 꼭두각시를 움직이는 괴뢰사(傀儡師)의 손놀림도 알아야 괴뢰희가 어찌 그리 행하

는지 미혹이 줄어들 것이 아니겠소. 경세를 위한 유교의 소용됨을 알면서도 불교의 설법으로 백성을 교화시켜 국태민안(國泰民安)을 도울 화상의 지혜가 과인에게 필요하오.

- 소승 불민(不敏)하여 나랏일에 보탬을 생각한 바 없사오나 전하의 뜻이오면 내불당의 말단청지기로 소임을 다할 것이옵니다.

- 그것이 아니라 나랏일의 도움을 받으려는 것이오.

- 황공하옵니다. 승려가 공식의 권한을 한정한 직책이 없이 나랏님의 곁에서 권력을 탐하는 전조의 적폐(積幣)는 되풀이하지 말아야 하기에 전하께서 번의(翻意)하시옵기를 청하나이다. 조선의 법도에서는 유생이어야 나라의 일을 맡아볼 자격이 있사옵니다.

- 화상은 이미 유학과 성리학에 조예가 깊음은 그전에도 들어왔고 오늘 확인했소. 과인은 대사를 유생의 자격으로 집현전 학사로 초빙하고자 하니 어명을 받으시오. 우리 화상이라면 설령 의정부(議政府)에 처하더라도 무슨 부족한 점이 있겠는가.

왕은 신미를 궁궐에서 직접 쓰고 싶어 했다. 신미는 어명을 받아들이고 집현전학사로 재직하였다. 일단은 기존의 집현전학사들과 함께 근무하지는 않고 왕의 교리스승으로서 자주 부름에 따랐다. 전조에 있었던 왕사(王師)의 제도는 폐지되었지만 실질적인 왕사의 역할을 집현전학사의 자격으로 하게 되었다.

- 유교가 현실의 문제만을 다루지만 양반귀인들은 간혹 나라의 비

상사에 연루되는 일 말고는 문중의 쌓아온 기반 위에서 생계의 걱정 없이 학문에 열중하기에 그다지 미혹함 없이 받아들이는 것 같소. 하지만 매일같이 먹을 것 입을 것을 걱정하고 좋지 못한 관리에게 시달리기도 하고 억울한 일과 비참한 일을 당하기도 하는 백성에게는 유교만으로는 큰 소용이 되지 못할 것 같소. 결국 불교에게서 위로를 구하는 길이 있을 뿐이겠으니 새 나라에서도 백성민간에게 불교의 가르침은 여전히 널리 전파되어야 할 것이오. 불교는 과인에게도 필요한 신앙이오. 내 비록 순탄하게 이 자리에 올랐지만 태종대왕 시절 숙부들의 비극과 고초를 들어서 알고 있기에 왕가 또한 신고(辛苦)를 겪는 백성과 마찬가지로 불교의 가르침이 필요하오. 다만 종파와 사찰의 통폐합 계획은 전조의 적폐를 없애고 국정의 효과를 높이기 위함임을 승려로서 이해할는지 묻소.

- 사찰의 건물이 관공서의 터가 되고 사찰의 노비가 병사와 관노가 되어도 그네들의 신앙심이 그대로이면 달라진 것은 없사옵니다.

- 백성에게 불교는 필요한 것이니 선한 백성의 신앙심은 달라짐이 없을 것이오. 이차돈(異次頓)의 시절처럼 불교를 금하는 것이 아니라 사찰의 재산화 권력화를 견제하는 것뿐이오. 유교는 백성의 입장에서는 그리 현실을 견뎌나가기에 소용되는 가르침을 주지 못하는 것 같소.

- 백성들은 유교를 아예 알지 못합니다. 한문으로 된 경전을 읽도

록 배울 기회가 없기 때문입니다.

- 불교의 경전도 마찬가지 아닌가 하네만.

- 불교는 승려들이 거리에서도 백성에게 설법을 하지만 유교는 학당이 아니면 가르치지를 않습니다.

- 유교가 백성에게 소용되지 않는 것이 아니라 유생들이 백성에게 가르치고 싶어 하지를 않는구려.

- 소승은 불도자로서 세존의 말씀을 백성에게 널리 가르치고 싶사옵니다.

- 대사의 뜻이 이루어지도록 앞으로 도움을 주겠소. 그런데 유교에서는 환생을 말하지 않고 자손이 업을 승계한다고 하지요. 사람이 자신의 선행과 악행에 대한 보응을 받지 않고 죽는 경우 그 자손이 받는다고. 그런데 모든 사람이 하나씩 자손이 있는 것이 아니고 여럿으로 많거나 하고 없을 수도 있는데 이렇게만 설명하면 미혹이 풀리지 않는 것이 사실이오.

- 선조의 선행으로 후손이 덕을 봄은 가능합니다. 그런데 그 선조의 덕으로 훗날 혜택을 입는 후손은 그 선조 자신이나 선조에게 선업을 쌓은 바 있는 자의 후신입니다. 부모의 죄로 자식이 고통을 겪는다는 말은 부모의 죄에 그런 인연이 얽히기 때문에 그에 맞는 운명을 탄 자손이 선택하여 태어나는 것이며 부모의 죄를 억울하게 이유 없이 자식이 받는 것은 아니옵니다.

- 과인은 앞으로도 화상을 지척에 두고 지혜를 구할 것이오.

왕과 신미의 관계는 대화의 기회가 있을 때마다 돈독해졌다. 국정 수행 중의 빈 시간이 있으면 신미를 찾는 것이 최우선이었고 또 왕에게는 가장 즐거운 시간이었다.

- 전하옥체의 평안을 위하여 휴식을 취하셔야 하오니 소승 이만 물러가기를 허해주시옵소서.

신미는 자신과 왕의 관계가 대신들에게서 질투를 받지 않도록 일정시간이 지나면 반드시 물러나왔다. 왕에게서 후궁의 침소를 가는 것은 그 다음순위의 일이었다.

왕은 세자 향(珦) 외에 둘째아들 유(瑈)에겐 진평대군(晉平大君) 셋째 용(瑢)에겐 안평대군(安平大君) 넷째 구(璆)에겐 임영대군(臨瀛大君) 등의 작호(爵號)를 내렸다.

봉건제도 시대에 지방을 할양받아 다스리는 영주(領主)에게 내리는 계급인 작위(爵位)는 공작(公爵) 후작(侯爵) 백작(伯爵) 자작(子爵) 남작(男爵)이 있는데 실제로 영지(領地)를 다스리는 귀족에게는 공작 후작 백작의 작위를 내리고 그 아래의 자작과 남작은 평민으로서 공이 큰 사람에게 내리는 명예 작위로서 공자(孔子) 맹자(孟子) 노자(老子) 등이 이러한 작위를 받았다. 그러나 춘추전국시대를 통일한 진(秦)나라 이후로는 지방권력이 중앙에 예속되어 모두가 명예직으로 되었으니 삼한의 나라에서 이 제도를 받을 때에는 신하들에 대한 존칭의 의미가 있었다.

군(君)은 공후백자남보다 높은 왕족의 작위이고 정실부인 왕후의 아들에게는 대군이라고 더욱 올려주었다. 작위를 갖는다는 것은 지방의 봉토(封土)를 할양해 준다는 것인데 군현제의 왕정국가인 조선에서 실현성은 없지만 형식적으로 봉지(封地)의 이름을 붙여주었다. 왕자(王子)의 호칭이 대군이라고 해서 세자도 무슨 대군이 될 것으로 생각하기 쉽지만 세자는 중앙권력을 이어받을 왕자이고 대군은 방계(傍系)로 나가 지방권력을 갖는 왕자로 구별되었다.

안평대군과 임영대군은 받은 작호를 그대로 썼으나 둘째 유의 작호는 자꾸 바뀌었다.

- 아바마마 소자의 작호를 바꿔 주십시오.

- 그건 왜가.

- 진평은 경상도 남서의 고을 이름이온데 소자는 남방의 편안한 곳보다는 북방의 야인들을 방어하는 의미를 갖고 싶사옵니다.

- 그러면 함평대군(咸平大君)으로 내려주마.

함평은 함흥(咸興)의 별칭이었다. 조선의 발상지나 다름없는 함경도 지역으로서 중국에 비유하면 원나라의 몽고지역이나 훗날 청나라의 만주지역이나 같은 곳이었다.

그러나 유는 며칠 후 다시 부왕께 청하였다.

- 함평은 전라도 함평현(咸平縣)과 혼동될 우려가 있사옵니다.

- 그렇다면...

부왕은 다시 진양대군(晉陽大君)를 하사했다.

- 진주(晉州)라... 또 남쪽의 봉지네...

유(瑈)는 투덜거렸지만 자꾸만 바꿔 달라하기 어려워서 그냥 있을 수밖에 없었다.

이 작호는 비교적 오래 사용되었다. 하지만 부왕이 먼저의 소동을 잊어버릴 때가 되자 유는 다시 진양대군이라는 작호가 마음에 들지 않는다며 작호를 바꿔달라고 졸랐다.

- 허허, 또 유의 옛날 그 버릇이...

부왕은 처음엔 그냥 웃어넘겼지만 유는 끈질기게 거듭 요청했다. 지난번에 유가 북쪽의 봉지를 갖고 싶어 해서 함평대군이라는 작호를 주었는데 함평이라는 지명이 전라도에도 있어서 취소한 적이 있음을 상기했다. 이후에 다시 북쪽지방의 이름을 딴 작호를 주지 않은 것이었다.

- 사실 진(晉)이 陽을 누른다는 뜻도 되니 아주 좋은 뜻은 아니다. 그러면 陽을 살리고 앞에 다른 글자를 넣는 것이 좋겠다.

부왕은 유에게 새 작호가 기입된 봉서를 내려주었다.

유는 봉서를 조심스레 열어보았다.

- 王子瑈를 首陽大君에 封한다.

부왕은 유에게 수양(首陽)이라는 새 작호를 내려주었다. 수양은 황해도 해주(海州)의 별칭인데 아예 으뜸되는 陽의 의미가 되었다.

- 수양이라. 한성을 비스듬히 남녘에 보며 견제하는 지세이니 능히 서울을 품을 기상을 기르기에 부족하지 않다.

수양은 흐뭇해하며 만족했다. 당초의 진평대군에서 함평대군 진양대군을 거쳐 수양대군이 되기까지 작호를 바꾼 것은 단지 형식적인 의미로 왕자에게 주어지는 봉지를 수양은 마치 풍수지리에 따라 묘를 명당으로 옮겨 성공을 꾀하는 것처럼 중요히 여긴 탓이었다. 명나라에서도 북경을 봉지로 받은 왕자가 후에 남경의 조카를 밀어내고 황제가 되었듯이 중국역사에서 북쪽에서 남진하여 서울을 점령한 적은 많아도 남쪽에서 북진하여 서울을 점령한 사례는 없었다.

왕이 병환이 있는데 내관들은 물론 동궁과 수양도 정성껏 곁에서 시탕(侍湯)하였으나 효험이 없었다.

그런 중에 신미가 왕을 살피고 약을 쓰니 쾌차하였다.

- 대사의 약은 성분이 무엇이오. 왜 고명한 의원의 처방약으로도 듣지 않았던 병이 이리도 나을 수가 있소. 그 조제법을 내의원(內醫院)에 교수(教授)하시길 바라오.

- 황공하옵나이다. 전하, 소승이 마련한 약이라고 해서 전통의 처방과 다른 것은 없사옵니다. 다만 짓고 달이는 중에 부처님의 법력을

빌어 효험이 깃든 연유로 하여 전하 옥체의 환난을 일으키는 신체부조화를 교정하여 조화로이 변모시켰다 하겠사옵니다.

- 병은 환자의 마음먹기에 영향받음은 과인도 알고 있소. 헌데 과인은 대사가 지은 약을 받았을 때 그것이라고 이제까지의 약(藥)과 다르리라고는 믿지 않았소. 그럼에도 대사의 기도(祈禱)로 인해 같은 약에 효험이 주입(注入)되었다니 참으로 모를 일이오.

- 전하께 올릴 약재를 준비할 때는 물론이고 드시고 쾌차할 그 순간까지 소승은 마음속에 울리는 파동이 전하께 전달되옵기를 빌어왔습니다. 전하께서는 소승이 지은 약임을 아시고 약에 담긴 소승의 정성을 받아주시었기에 소승이 부처님께 구한 간절한 기도가 전하의 옥체에 이르렀음이라 사료되옵니다.

왕은 단지 신미가 지어온 약이라는 것만을 알고 신미의 정성을 마음속에 받아들이는 정도였는데 신미는 자신이 부처님께 구한 간절한 기도의 마음이 영적파동으로서 왕에게 전달되어 교감과 공명을 일으켜 부처님을 의지하는 신력(信力)이 왕에게 다다르도록 노력했던 것이었다. 요즘 흔히 쓰는 말로는 치유에너지를 전파한 것이었다.

- 대사의 참으로 가상(嘉賞)한 행적이오만 물상(物像)의 상태에 따라서 결성될 만한 일이 사람의 뜻으로도 변화된다는 것은 일체유심조(一切唯心造)라 하여 천지의 만물은 마음으로 말미암아 만들어졌으니 마음이 세상의 물질현상을 다스린다는 불교의 가르침에 부합

되는 일인데 문제는 그렇게 마음으로 다스릴 물질현상이 어디까지인가 짐작이 되지 않소. 우주의 질서와 사계절의 순환 그리고 물체가 아래로 떨어지는 것과 같은 여러 물리법칙들은 인간 심식(心識)의 활동과는 전혀 다르게 존재하는 것이고 인간의 삶은 그 법칙에 제약을 받을 밖에 없소. 이렇게 세상사에는 마음이 어찌 못하는 이법(理法)이 존재하니 마음을 물질의 존재현상에 맞춰 따라가 배워 지식을 넓혀 사람을 현명토록 함이 주자학에 말하는 격물치지(格物致知)인데 대사께서는 사람의 마음으로 다스릴 물질현상의 한계를 말씀해보시오. 그리하면 그 한계를 넘어가는 세상사(世上事)는 격물치지의 유가의 이론을 따르고 그 한계 안에 있는 世上事는 일체유심조의 불가의 가르침을 따르면 그렇게 완전한 나라 다스리기도 없을 것 같으오.

왕이 모처럼 작심한 듯 발설하는 현학적 언사(言辭)는 답하기에 참으로 난감할 듯했다. 그렇지만 신미는 주저않고 답을 주었다.

- 사바세계의 한시적 육체존재에 묶인 영혼으로부터의 심력(心力)만을 말한다면 물리현상을 다스린다는 것은 이내 한계를 맞을 것입니다. 그러나 인간이 윤회를 넘어 업장소멸과 해탈을 향해가면 그 영혼의 신력(神力)은 한계가 없을 것이며 결국 일체유심조라는 가르침은 한정된 영역에만 적용되는 법칙이 아님입니다.

- 주자학에서는 理를 체현(體現)하는 정도가 중생마다 가지는 기氣의 차이 때문에 다르다고 하오. 사람의 경우 理를 담는 그릇인 心의

성숙도에 따라 理를 체현하는 정도가 다르다니 理를 높이 체현하면 理法을 넘어설 수 있는 것인가 의문이 되오.

- 心이 성숙하여 理를 높이 체현하면 그만큼 理法에 충실할 뿐입니다. 다만 理法에는 물리(物理)만이 있는 것이 아니고 심리(心理)와 성리(性理)가 있기 때문에 물리만으로는 이해되지 않는 일을 체현하는 것입니다. 心이 성숙하면 氣가 理에 순응하나 그렇지 않으면 理가 氣에 휘둘려 물리를 따르는 행위를 하고 그 결과 업장을 더욱 쌓게 만듭니다. 유가에서는 한 번의 생에서 나타나는 心만을 두고 말하기 때문에 心이 다스리지 못하는 영역이 명백하고 心이 만물의 근원이라는 유심론을 납득하지 못합니다. 그러나 인간이 윤회를 통해 여러 생의 수련으로 영신(靈神)이 단련되어 心이 성숙하면 물리를 넘어 다스릴 영역은 늘어갑니다. 비록 우리 인간의 현 상황으로는 까마득히 억겁을 지나야 할지 모르지만 靈神의 단련으로 해탈에 이르러 극한에 다다른 靈神에게는 사철의 순환 같은 큰 자연법칙도 유심조(唯心造)한 것이니 바꿈이 가하겠사옵니다.

신미가 설법하는 유심조는 靈神이 물질의 상위에 있음을 깨우치는 것으로서 오늘날 있는 말로는 하나님은 능치 못하신 일이 없느니라 함과 같은 의미였다.

- 허허 그런 높은 유심조는 바랄 것이 아니오만 대사의 정도에 와 있는 불심으로 다스림이 가한 영역만큼은 불가의 힘을 빌려 나라를

다스릴까 하오.

- 전하 아니되옵니다. 이제까지와 같이 유가의 인재를 계속 쓰소서. 불제자가 물리를 넘어선 역할을 한다는 것은 역량의 검증이 아니되고 혹여 그럴만한 신통력이 보인다고 해도 성취의 여부는 인간의 판단력으로 가늠하지 못하니 심히 혼란을 줄 것이옵니다. 불교에 관해서는 전하의 마음으로부터의 믿음으로 성은을 주시오기를 바라나이다.

- 오 대사야말로 사상의 변화시대에 균형을 잡아주실 현인이시오. 세상의 사상들이 서로 영향력을 늘리려는 다툼에 몰입하지 말고 하늘이 왜 공존을 허락하였는가를 살피고 상황에 따른 각각의 소용(所用)을 따라야 할 것 같소. 대사는 유가와 불가를 넘나드는 박식(博識)을 가졌으니 어느 한쪽의 독선도 능히 제어해 주시리라 믿으오.

왕이 신미를 믿고 가까이함에 따라 왕가에는 불심이 더해갔다. 왕은 한 개인으로서는 가족을 잃은 슬픔을 극복하고자 불당에서 자주 법회를 베풀어 시주했다.

왕실에 충만한 불심

내불당에 왕실가족 세 사람이 함께 찾아왔다. 수양대군 유와 안평대군 용 그리고 정의공주(貞懿公主)였다.

정의공주는 요즘말로 과학적인 분석을 하는 지혜가 있었다. 수년 전 왕에게는 중국에서 수입한 안장(鞍裝)이 진상(進上)된 적이 있었다. 한 번도 쓰지 않은 새것이었다.

왕은 안장을 애마에 착용시키고 타보았다. 그런데 속력을 내며 달리기 시작하자 접촉부위에 압박이 심했다. 왕은 이내 애마를 멈추고 내렸다.

- 전하 불편하시옵니까. 반환시키고 새로 다시 들여오라 명을 전하겠사옵니다.

걱정하는 내시에게 왕은 염려 말라며 손을 저었다.

- 대국에서 오는 길에 사신이 구입해온 것인데 일부러 이런 것을 사오라고 세금을 들여 대국까지 보낼 수는 없다. 조금 손보면 될 것이다.

- 하명하옵시면 장인(匠人)을 불러올리겠사옵니다.

그러나 왕은 자신의 사타구니의 접촉면이 어찌어찌하다 설명하고 지시하기는 다소 민망스러웠다.

- 놔두어라 내가 조금 손질하면 된다.

왕은 안장을 퇴근 시에 내실로 가지고 갔다. 저녁 수라가 끝난 시간에 안장을 손수 고치고자 과도를 가지고 안장에서 불편하게 몸에 닿는 부분을 깎아냈다.

작업이 되어가고 있던 중 팅 하는 쇳소리가 옆방의 중전 그리고 건넌방의 어린 소녀 정의공주에게 들렸다.

- 아뿔사.

칼로 안장을 깎다가 손이 미끄러져 종아리를 찍었다. 왕의 탄식소리가 있자 중전과 공주가 나와 보고 내시도 달려왔다.

내의원에서 와서 칼을 잘못 다뤄 피가 난 곳에 지혈생기합창약(止血生肌合瘡藥)을 처방했다. 그런데 칼끝이 부러져 종아리 속에 박힌 것은 당장 어찌할 방도가 없었다. 본래 한의학(漢醫學)이 양의학(洋醫學)보다 특히 취약한 것이 외과수술이었다. 상처가 곪은 이후에 칼로 헤집어 쇳조각을 꺼내는 아픈 수술을 예정해야 했다.

그 때 공주는 내관에게 지시하였다.

- 초박(醋粕)과 지남철(指南鐵)을 구해오시오.

지남철은 궁중 근위대에서 쉽게 구할 수 있지만 궁궐에 술지게미를 모아둘 일은 없었기에 내관은 하급내시를 달려 내보냈다. 한 식경(食頃) 만에 필요한 것들을 구해왔다.

- 발효된 식품은 오래두어도 썩지를 않습니다. 이는 독을 제어하는 기능이 있음이니 아바마마 상처의 부기를 억제하는데 쓰이겠습니다.

공주는 술지게미를 데워 부왕의 상처에 붙였다. 소독이 됨과 함께 이윽고 부기가 빠져나갔다. 부어오른 장애물이 없어지자 지남철로 상처 주위를 훑으니 쇳조각이 철컥 하고 달라붙었다.

- 허허 발효된 식품이 필요하면 독주(毒酒)를 가져오라 하면 될 것을...

왕은 말했지만 어린 소녀가 술의 종류에 관해 알 수는 없었다. 다만 상궁들이 초박을 갖다버리는 것을 보고 들으며 그런 식품이 있다는 것을 알뿐이었다. 이일로 정의공주가 큰 칭찬을 받았음은 물론이다.

정의공주 또한 불교신도인데 남편 죽성군(竹城君) 안맹담(安孟聃)도 평소 불경을 읽으며 살생을 싫어하여 집안에서 양잠(養蠶)도 하지 않았다.

- 부인 우리가 살생을 싫어하여 양잠도 하지 않는다고 소문이 나 있는데 비록 우리가 과다히 즐기지는 않는다 해도 때때로 살생의 결과인 육편(肉片)을 식탁에 올리니 이를 두고 혹 우리의 신심(信心)을 위선이라고 비웃는 이가 있을지도 모르겠소.

- 서방이 즐기지 아니하고 나 또한 삼가려 한다고 여종에게 분부한 적이 있었는데 여종이 답하길 궁중에서 오는 재료를 저들이 임의로 거절할 수 없노라하고 마마내외가 식(食)하는 양(樣)을 궁중에 전해 올려야 하니 드시지 아니하면 안 된다고 하더이다.

- 기실 일전에 남종에게 내가 먹을 육편을 모두 네가 먹어라 이일은 아무에게도 알리지 않겠다고 하고 상을 물린 적이 몇 번 있었는데 갈수록 내 몸의 기(氣)가 허(虛)하니 더 이상 계속할 수 없었소. 스님들처럼 완전한 불도(佛道)의 길을 걷지는 않는다 해도 그 길을 따르고 싶은 마음이라도 가지는 것이 불도(佛徒)로서의 자세라 생각하고 육편을 식하되 그 때마다 중생에 대한 사심(謝心)을 상기(想起)하는 것이 옳겠소.

- 우리가 스스로 살생을 하지 않고 살아갈 수 있음에 감사하고 그 길을 충실히 걷는 것으로 만족해야겠지요. 사실 나는 상(床)을 받으면서 아바마마가 내리시는 식물(食物)을 조금도 소홀히 여겨선 아니 되리라 생각하고 한 번도 육편을 거절한 적이 없지요.

- 육편을 남에게 먹으라고 한 것으로 자기가 육편을 먹은 것보다 업장을 줄일 수 있다는 생각도 재고해야 할 일이겠소. 세상의 좋은 일이든 나쁜 일이든 시킨 자나 행한 자나 같은 업을 쌓는 법인데 육신의 판단으로 자기행실에 만족하는 것인지 모르오.

- 살생의 결과를 남에게 먹이는 것으로 살생의 업을 벗는다고 할 수는 없겠죠. 마찬가지로 백정(白丁)이 살생의 업을 행한다고 하여 그 결과를 용비(用費)하는 자들이 업에서 놓이란 법은 성립하지 않지요. 오히려 육신으로 느끼는 살생의 고통을 대신 감내하면서 인간에게 건강히 살아갈 양식을 대주는 그네들에게 고마워함이 합당하겠지요.

- 그런데 내가 사귀는 유생 사이에서는 저들은 육편을 즐겨 식하면서도 백정 일에 종사하는 자들을 천하다고 경멸하는 태도를 간간히 보아왔소.

- 저들도 백정이 우리에게 필요한 일꾼임을 인정하고 있을게요. 그런데 사대부가의 뿌리가 대국의 송나라 선비들에게 있음이 비단 족보의 시조를 송나라에 둔 가문이 아니라도 성리학을 받드는 정신을 이어받았음이죠. 송나라(南宋)가 몽고군에게 짓밟히고 성리학의 융성이 단절되었던 원한을 잊을 수 없는데 지금 백정에 종사하는 자들은 몽고족의 사람들이니 어찌 생각하면 그들에게 보복의 살육을 행하지 않는 것만도 다행이라 하겠어요.

- 성상(聖上)께서 우리 백성모두가 군자가 되는 길을 걷도록 하시고자 살생의 일은 저들 족속이 전담하도록 하셨으니 그것도 저들 족속이 누생(累生)으로 해왔던 기예(技藝)는 살리면서 지난날의 전횡(專橫)으로 쌓였던 업을 갚도록 하는 배려가 아닌가 하오.

귀한 직종에 출생의 배경을 보아 상민이나 서자가 벼슬길에 오르지 못하듯이 천한 직종이라고 아무나 손댈 수 있는 것이 아니었다. 가축을 도살하여 고기를 팔아 이윤을 남기는 것은 짐승다루는 기예를 이어받았으면서도 국내에는 생활터전이 부족한 몽고족 출신들이 맡아하도록 제도화되었다. 형편이 나은 쪽이 굳이 군자답지 못한 일에 종사하여 소인의 생계를 위협하는 것을 막아 소인의 생활보장도 하고 비교적 여유 있는 자들은 군자의 길을 걷도록 하여 백성의 영적 성장을 지원하는 국가의 목적에 충실하기 위함이었다. 지금의 선진국사회에서 힘들고 어려운 일은 외국인노동자가 맡아하는 것이 통념인 것처럼 불교를 믿는 조선사람이 꺼리는 살생의 일은 당시의 외국인노동자인 몽고인 백정이 전담한다는 직업관이 통용되었다. 하지만 훗날 조선의 경제가 어려워질 때는 양민이 함부로 백정 일에 종사하여 문제가 되곤 했다.

조선의 사대부들이 송나라의 선비들의 후신(後身)이라면 송나라를 점령한 몽고병사들은 마음껏 한족의 생활터전을 착취하며 선비들을 능멸한바 있었으니 그들의 후신이 백정이었다. 길지 않은 세월중의 윤회는 전신(前身)의 성향과 기질은 유지되면서 다만 업보를 갚기에 적당한 조건에 처하게 된다.

정의공주는 지금 나라의 지도이념인 유교만으로는 백성을 교화하는데 충분치 못할 것임을 남편에게 말했다.

- 백정의 현생이 과거에 저지른 업을 갚는 것이라고 해도 유생 대개의 생각은 그러한 배려는 없이 여하튼 현생에 천하게 태어났으면 천한 사람으로서의 본분에 충실해야 한다는 것이죠. 비록 현생으로 관점의 범위를 한정한다고는 해도 큰 진리에는 어긋남이 없는 것이 유가의 관점이에요. 현생에 태어난 조건이 자기의 업장해소를 위해 가장 옳게 짜였음을 깨달아 주어진 본분에 충실한 것이 바른 길이지만 유교로서는 그리해야 할 근본진리를 중생에게 가르쳐 납득시키지는 않고 권력과 제도로서 규범화하니 중생이 평온하고 관대한 마음을 지키기가 쉽지 않을 밖에요.

- 유가에서는 본분을 지키라 하는데 한 인생 중에 반드시 한 본분만을 가지라 하는 건 아니지 않을까합니다. 내가 여염집에서 태어났지만 지금은 공주의 지아비로 살듯이 불가의 가르침이든 유가의 가르침이든 천민에게도 현생에 삶의 본분을 바꿀 길이 열려야 나라의 복리(福利)가 골고루 나뉘리라 봅니다.

- 한 인생에서도 운명은 바뀌니까요. 수천 년 이어온 민족의 역사도 수년의 단기간에 궤도를 바꾸지 않나요. 한 영혼의 여정(旅程)도

잠깐 동안의 전기(轉機)를 천상에서 겪어 신분을 고쳐 태어나기도 하지만 지상의 생애 중에도 신분을 고칠 전기를 맞는데 그런 기회를 잘 살려주는 것이 나라가 해줘야할 일이겠어요.

공주내외는 천민의 인생을 사는 백정들을 동정하여 그들에게 더 발전된 단계의 인생본분이 앞당겨 주어지도록 많이 기도해주어야겠다고 생각했다. 하지만 천민으로서의 삶이 부처님이 어떤 징벌을 주려고 일부터 고통을 주는 삶은 아니었다. 부처님은 자비로우니 죄를 징벌하려고 환생을 시킴이 아니라 영혼에 부족한 것을 가르치고자 환생을 시킨다.

중원을 침략하여 잔인한 살상을 일삼았던 몽고군의 인생 대다수는 인간으로서의 기초적 단계인 살타이생(殺他而生)하는 영혼진화단계였다. 몽고병사로서 그들은 한 마을을 다스리다시피 하는 특권과 부귀를 누린 바 있다. 그러던 그들의 영혼이 인간영혼으로서의 발전궤도를 따르기 위하여 규율을 존중하고 순종하는 영혼수련 단계를 맞게 되었다. 그런데 지구상의 시대는 이미 중세를 지나고 있으니 다가올 민주사회를 대비하기 위하여 고대부터 오랫동안 규율순종의 수련단계를 거쳐 온 백성들의 영혼에 비하여 그들은 단기간에 이 과정을 수료해야할 필요성이 있었다. 그래야만 앞서 수련한 영혼들에 뒤쳐지지 않게 그 다음의 자아실현의 성취를 목적으로 하는 영혼수련단계에 진입하여 민주사회의 일원이 될 수 있기 때문이었다. 그리하여 그들은 천민으로서 남들에게 억눌리고 순종해야하는 삶을 밀도 있게 겪어야 했던 것이다.

서재에 있던 신미는 일어서 왕의 소생 세 분에 대한 예를 표하고 안으로 드시라고 했다. 수양과 안평은 대사를 만류하며 상좌에 앉으라 청했다.

그리고 세 왕족은 시주를 바치고 함께 무릎 끓어 절했다. 신미는 축복의 기도와 염불로 응답했다.

신앙인과 교역자 간의 의례가 마무리 되었을 때 수양의 일행은 평소 궁금하던 사항에 관해 신미에게서 배움을 청하고자 물었다.

- 삼한에서는 신라와 고려를 이어 불교를 나라를 다스리는 으뜸이념으로 삼아 왔습니다. 그렇지만 전조에서도 관리의 등용에는 유교에 관한 지식을 자격으로 삼아 오다 태종대왕에 이르러서는 억불(抑佛)이 국시가 되기에 이르렀는데 인간세상과 우주의 원리를 깨우치는 불교의 지식을 어찌 국가통치를 위해 이용(利用)하지 못하는지 저희로서는 이해(理解)가 어렵습니다. 단지 과거로부터의 관행이고 선왕의 유지(遺旨)이기 때문에 우리는 유교를 나라 다스림의 근간으로 삼고 있는 것인지요.

수양은 부왕에게는 차마 묻기 어려웠던 의문을 신미에게 물었다. 신미와 왕실남매 양측은 서로 존중하는 관계이면서도 편한 사이였다.

- 대군께서는 나라를 다스림의 목적이 무엇이라고 생각하십니까.

신미는 잔잔한 미소를 띠며 수양과 안평 그리고 정의를 돌아보며 물었다.

남매는 그동안 품은 의문도 비슷했기에 대답과 질문도 비슷할 수밖에 없었다. 수양이 대표하여 답했다.

- 백성이 안락하게 저마다의 생업에 종사하며 행복을 찾고 외적을 방비하고 경제(經濟)를 올바로 하는 것입니다.

물론 이것은 타자본위의 명분상의 목적이었다. 오늘날과 같은 민국(民國)이 아닌 당시의 왕국(王國)은 왕이 주인이다. 왕국경영의 목적은 왕과 그 일족의 성향에 동조하는 인물들이 나라에서 으뜸가는 세력을 형성하고 번영토록 함으로써 왕가의 인륜을 형성하는 부류와 동일하거나 유사한 성향의 영혼들이 그 나라를 기반으로 하여 지상에 태어나 영적수련을 할 기회를 충분히 갖기 위함이다. 양반귀족은 물론이고 백성들도 점차로 왕실의 성향을 본받도록 하여 왕실과 통하는 부류의 영혼들이 그 나라를 지상의 별장과 같이 사용하도록 하는 것이다.

- 그렇지만 어디까지가 백성의 행복이겠습니까. 사람이 난교(亂交)와 도박(賭博)과 주취(酒醉)에 탐닉하면 그 동안에는 세상에 모자랄 것 없는 쾌락을 느끼지만 국태민안(國泰民安)을 위해서는 마냥 허용

할 수가 없습니다. 결국 사바세계의 목적을 위한 것만으로 국가의 존재이유를 다 설명하지는 못합니다. 국왕전하의 올바른 인도로 백성 모두가 업장(業障)을 개선하고 해탈과 극락으로 이어가는 길을 열어 주는 것이 백성을 위한 나라를 만드는 길입니다.

신미는 불도자로서 보는 국가의 기본적인 의무를 밝혔다.

- 물론 백성들이 한 번의 생으로 그 목적을 이루기는 어려운 것이겠지요.

수양은 끄덕이면서도 아직 만족 못한 눈치였다.

- 생애 중에 업장을 개선하도록 자기가 처한 자리에서 최대한 노력하라는 것이 부처님의 가르침입니다. 나라에서는 백성이 진리의 가르침에 따를 여건을 만들어주어야 합니다.

- 유가에서 군군신신(君君臣臣) 즉 임금은 임금답고 신하는 신하답게 살라고 하며 각자의 본분을 중히 여기라는 가르침도 대사께서 말씀하신 진리에 부합되는 것인지요.

- 유가의 많은 말씀이 다 부처님의 진리에 부합(符合)합니다. 다만 유가의 가르침은 사바세계의 복리(福利)와 의(義)를 위함에 한정되어 있어 인간의 생로병사의 근심에 따르는 미혹과 번민을 구제하기는 어렵기 때문에 불가에서 설파하는 진리를 민간에 전도할 필요가 있는 것입니다.

- 그러니까 불교를 국가이념으로 삼으면 더 백성을 근본적으로 구

원할 수 있는 것이 아닙니까.

- 소승과 같은 승려들도 만약 상(上)께서 그리 결정하신다면 당장에는 환영할 것입니다. 문제는 이념이 아니라 사람입니다. 불가에서 우주의 진리를 포괄한다고는 하지만 그것을 모두 이해하여 인간에게 속속들이 가르칠 고승(高僧)은 존재하지 않습니다. 인간의 몸에 깃든 혼으로 의식하는 진리는 한계가 있으며 바로 그렇기 때문에 인간입니다. 인간의 몸으로 할 것은 스스로 신통(神通)하여 자신의 운명과 길흉화복을 의연하게 접수하고 현생에서 자기의 업장을 최대한 정리하는 것입니다. 불가에서 다루는 진리는 방대하여 인간스스로 모든 것을 이해하기는 불가능하고 믿음으로 따라야 하는 것입니다. 그러니 불학으로 공부하고 통달하는 진리는 제한이 되어 있으며 승려가 치지(致知)하여 중생에게 학습하여 따르라 할 것이 아닙니다. 오직 존심(存心)을 법문(法文)에 실어 계도(啓導)할 뿐입니다.

致知는 세상의 객관적 지식을 이해함인데 불도자(佛道者)가 불교의 진리를 완전히 이해하여 군신관계나 백성을 다스림에 있어서의 구속력 있는 규범으로 제정하기는 불가능하다는 것이었다. 존심은 주관적인 생각으로서 도력(道力)이 있는 고승은 스스로 체득한 깨달음을 법문을 인용하여 설파하되 듣는 이는 자기 나름대로의 영적수련 수준에 걸맞은 만큼 고승이 제시한 길을 따르라는 것이고 역시 어떤 분명한 지시를 내려 복종을 요구함이 아닌 것이다.

신미는 계속 국가 입장에서의 사정을 설명했다.

- 이처럼 불가의 도는 나라의 통치체제를 운영하는 데는 사용되기 어려운 것인데 그것은 불도(佛道)가 아무리 중생을 올바로 이끈다고 하여도 그것을 온전히 인간세상의 사건에 적용하여 사람을 지도하기가 곤란하기 때문입니다. 허나 유가의 도는 공자도 말씀했다시피 현생에 사는 우리의 일에 한정이 되어 있습니다. 그래서 육체에 혼이 깃든 인간으로서도 지식으로 이해하고 사람들 앞에 명확히 설파할 수 있습니다. 그렇기에 각 사람의 존심에 영향을 받지 않고 많은 사람들을 공동이 추구하는 가치로 향도(向導)할 수 있는 것입니다. 자신의 영혼구원 됨에 만족하는 은자(隱者)에게서 비웃음까지 받으면서 공자는 생애동안 당신의 등용을 원했습니다. 그만큼 유학은 곧바로 경세제민을 위하여 사용되기 위함입니다.

현대에서도 국가경영에는 사회과학의 전공자가 필요하고 종교인이 직접 등용될 수 없듯이 유교는 상대적으로 사회과학의 역할을 했던 것이었다. 제정분리가 된 이래 국가의 지도자가 현실범주를 벗어난 가치에 의존하여 객관성을 잃는 것은 크게 경계되는 일이다. 국가경영에 영향을 미치는 민족신 더 나아가 국가신에게 특정한 희망을 전하고 성취를 기원하는 것은 神을 존중하는 것이라기보다는 神이 국가지도자에게 내린 소임을 저버리고 神에게 의지하려는 것에 불과하기에 神도 열납(悅納)하지 않는다. 인간의 조직에 비유하자면 최고경영자가 중간관리자를 임명했는데 기껏 임명한 중간관리자가 그 소임을 하지 않고 일일이 최고경영자에게 모든 결정을 묻는 것이나 같다.

- 삼한의 나라는 예로부터 군자국을 자처하고 또 그렇게 인정받아 왔습니다. 조선의 목표는 백성 모두가 군자가 되는 나라가 됨인데 이렇게 유가의 가치를 따름이 불가에서의 업장해소와도 연관이 되는 것일까요.

왕가의 남매는 불교신도로서 불교와 국가통치이념인 유교와의 병립에 민감한 것이었다. 그들 스스로 나라의 향방이 불교에서 말하는 극락정토가 있는 쪽을 향하고 있는 것인지 늘 염려되고 얼마간의 책임의식까지도 있는 것이었다.

- 한 생애에서 해자(孩子)의 몸이 자라나 성인(成人)이 되듯이 영혼이 윤생하며 군자(君子)의 영혼은 자라나 성인(聖人)이 됩니다. 유가에서 말하는 군자의 도리를 따르면 전생에 타인에게 받은 원한을 일일이 앙갚음하여 또 다른 업보를 더함이 없이 업장이 풀리는 결과를 얻게 되고 학문으로 지식을 증진하여 치지(致知)함으로써 지혜가 증진하여 영혼이 진리에 접근하고 해탈을 향하게 됩니다. 나라의 가치수호의 중심이 되어야 할 왕실에서는 마땅히 유가의 도를 모범이 되어 따라야 할 것입니다.

- 불교의 방식으로 많은 사람을 구제하는 길인 대승불교의 길이

있지 않습니까.

- 중생을 구제함은 인간의 의지로 이루어지는 것이 아닙니다. 부처님의 가호(加護)가 있어야 합니다. 불교의 목적은 영혼을 극락으로 인도하여 영혼을 구원함이지 사바세계의 백성을 물질로 구휼함이 아닙니다. 사람이 너무 넓은 범위에 신경을 쓰면 그만큼 당장의 중요한 일에 어두워지는 법입니다. 승려의 용도가 백성을 다스림에 있어서 유생에 미치지 못하는 것이 그런 연고입니다.

수확한 벼를 들판에 퍼뜨려 놓는 것보다 한 곳에 낟가리를 쌓아올리면 더 벼의 수확량을 알고 농사의 성과를 알아내기에 좋다. 인간의 한정된 재량(才量)으로는 무한정의 넓은 범위보다는 정해진 좁은 범위에 궁구(窮究)함을 집중해야 지식을 얻기에 더 효과적이다. 불교가 한정 없이 우주의 진리를 전달코자 하는데 비하여 유교는 인간으로 육화한 존재들끼리의 상호관계질서를 효율화하는 목적에 한정되어 있다. 신유학인 성리학에서는 理와 氣의 관계를 살핌으로써 인간으로 구체화된 존재의 본질을 탐구하고 있지만 여전히 지상에서 인륜을 형성하는 존재들의 연고작용(緣故作用)에 관한 설명은 그들의 지상에서의 인륜관계에 한정되어 있다. 사람이 자신이 쌓은 덕의 성과를 보상(報償)받지 못하고 죽으면 대신 덕택을 받을 자를 족보와 혈연의 계승자로 한정한 것이다. 그렇다면 남에게 받은 피해를 보상(補償)받지 못하고 죽을 때도 그 보상을 행할 자 즉 복수할 자는 후손으로 한정이 된다. 이러한 믿음 위에서는 정쟁에서 승리하여 정적(政敵)을 죽이고 후환이 두려우면 정적의 집안을 멸문하면 안전할 것으로 여기지만 그런 믿음이 부질없음은 불도자의 눈으로는 명백한 것이었다.

물론 신미는 넓은 범위의 진리를 구도하는 입장에서 좁은 범위인 인간세상의 이치를 못 보는 것은 아니지만 겸손의 자세를 유지하여 이렇게 말했던 것이었다. 기실 불도자의 도량(度量)이 유생의 도량과 차이가 없을 때에는 현실문제의 대처법을 불도자에게서 찾는 것이 종종 실패로 귀결되곤 하는 것이다. 예를 들어 인간의 영혼이 남녀노소의 입장을 순환하여 겪음을 의식해서 남녀노소의 차이를 부정하는 불도자가 있을 수 있는데 그러한 태도는 지상에 육화하여 존재하는 목적을 무의미하게 하고 결국 업장소멸의 대목표를 향하는 데에도 도움이 되지 않는 것이다.

오늘날의 관점에서 보면 불교이념은 진보주의이고 유교이념은 보수주의에 해당되었다. 신미는 진보주의를 잘 알기에 현실에 맞게 보수주의를 적용하는 지도자와도 같은 입장이었다. 오늘날 진보주의를 잘 모르는 탓에 섣불리 진보주의를 현실에 적용하려는 정치인은 당시로 비유하면 불교의 이념으로 정치에 참여하려는 승려와도 같았다. 정치에 참여한 승려들이 훗날 좋은 평판을 받지 못한 것은 순수한 의도를 의심하는 비리의 소문을 믿지 않더라도 결국은 진보이념의 현실적용의 한계와도 같은 이유에서였다.

- 현생에서의 물질구휼이 영혼구원보다 중요한건 아니지 않습니까.

수양은 아직 정치에 책임이 없는 일개 대군의 입장에서 가치관에 따른 주장을 할 수 있었다.

- 물론입니다. 그런데 물질구휼은 영혼구원이라는 큰 목적의 일부로서 사바세계에 발을 디딘 인간으로서 당장 먼저 해결해야 할 일입니다. 인간이 물질의 지배를 받는 사바세계에서 서로 돕고 구휼하며 서로의 업보를 상쇄하며 업장해소로 나아가도록 나라에서 여건을 만들어야 하고 이를 위해서는 우선은 사바세계의 현상에 대처할 도리를 집중하여 가르치는 유가의 도가 유용한 것입니다. 유가에서는 아버지를 죽인 자는 불구대천(不俱戴天)의 원수이니 죽여서 복수하라고 하지만 불가에서는 그 또한 아버지의 업보이니 복수심을 절제하라고 합니다. 사람들이 모두 자기 윤생(輪生)의 내력을 알고 성불을 위해 노력하는 세상이라면 불가의 가르침만으로도 경세(經世)할 수 있지만 대부분의 사람은 오직 현생에서의 은원관계만을 인식하고 있는데 현생에서의 정당한 이유 없이 사람을 죽여도 저들의 업보이겠거니 하고 나라에서 용서하곤 한다면 오히려 육욕에 휘말리는 영혼들이 섣불리 인면수심을 가지고 태어나 함부로 살육을 하여 인간세상은 더 많은 업장이 쌓일 것이 아니겠습니까. 그러니 사람을

죽인 자는 우선 현생에서 상응한 보응을 받게 하는 법도가 있어야 현생에서 새로운 살인의 업장을 만드는 것을 억제하고 설령 살인의 업보를 갚아야 할 자라 할지라도 억제하고 승화하여 업장을 풀어가도록 유도할 수가 있으니 인간세상에서 우선 나눌 규범으로는 유가의 도에 따르는 것이 효험 있는 것입니다.

불교이념에 의한 국가통치는 사람들 대다수가 신명의 관점에서 업보를 인식하며 성불로 향하는 높은 영적수준에 있다면 가능하지만 현실의 백성수준에서는 어렵다는 것이었다. 불교이념에 따른 통치는 진보적인 것이고 유교이념에 따른 통치는 보수적인 것인데 섣부른 불교이념에 따른 통치는 실정을 무시하는 어설픈 진보주의에 의한 통치와도 같을 것이었다. 초월적 깨달음인 불교이념을 현실에 적용할 객관적 이론으로 전개한다는 것은 인간의 혼자(魂自)로서는 무모하고 분에 넘치는 것이기도 하다.

- 성리학에서는 우주의 조화에 인간이 따라야 함을 말하는데 고전유학에서의 삼강오륜이 그 실현을 위한 구체사항이라고 합니다. 유교는 이렇게 하여 가족이 길이 융성하며 이어나감을 추구합니다. 그리하면 후손이 조상의 덕을 보게 된다고 합니다.

안평이 의견을 보탰다. 신미는 삼강오륜 또한 우주의 진리체계의 범주 안에 있음을 설명해주었다.

- 군위신강(君爲臣綱)이라 임금은 신하의 벼리가 됨이란 신하는 임

금을 섬기는 것이 그 존재의 근본이 됨을 말합니다. 세상에 태어나 살아가는 영혼은 제각기의 지향성을 가지고 있습니다. 이런 지향성들이 충돌할 때마다 당사자끼리의 싸움으로 향방을 정한다면 금수의 세계나 다름이 없습니다. 이럴 때 부처님은 인간영혼의 수준에 맞게 알맞은 지도지침을 내려서 천명(天命)을 받은 자가 대행하도록 합니다. 천명을 받은 군왕을 신하된 자들은 따르고 섬기며 백성 또한 나라에서 정해준 질서에 따라 왕명을 대행하는 자들의 지도에 따라야 개개인의 분쟁을 줄이고 서로의 업장이 과다하게 증가하는 위험을 막을 수가 있습니다. 부위자강(父爲子綱)은 자식이 부모로부터 나오니 부모가 자식의 벼리가 됨은 명백한데 인간세상을 먼저 살아온 부모가 세상살이의 지침을 정해주는 것은 세상살이의 업무에서도 먼저 그 일을 해보았던 자가 새로 그 일에 참여하는 자를 가르치고 이끌어주는 것과도 같습니다. 새로 참여한 자가 먼저 일했던 자보다 나이가 많아도 먼저 있던 자의 지도를 받아야 합니다. 마찬가지로 부모보다 영격이 높은 자식이 태어나도 자식은 부모에게서 사바세계의 살아갈 길을 배워야 하는 것입니다. 부위부강(夫爲婦綱)이라 지아비는 지어미의 벼리가 된다함은 남자가 지상의 생활에서 여자를 보호하고 이끌어야 한다는 것인데 이것은 남자가 몸이 생겨나기를 세상에서 힘을 쓰며 생활의 방도를 찾기에 알맞게 되어 있고 여자는 몸이 생겨나기를 세상에서 사랑을 주며 생활의 목적을 찾기에 알맞게 된 연유입니다. 이렇게 군왕과 부친과 남편은 나라에서 가족에서 부부에서 사바세계의 삶의 방향을 위임받는 자리이고 이네들이 벼리가 됨은 각각의 범주 내에서 업장누적을 최소화하려 함입니다.

영혼이 지상에 태어나 삶의 지침을 받을 때 神이 일일이 세세하고 평이한 사항을 지시하기는 번거롭다. 그래서 일단 지상에서 삶의 지침을 대신 이끌 자에게 위임을 하는데 우선 남녀가 있을 때 남자의 몸이 더 지상의 생활에 특화된 형태이기 때문에 여자는 일단 남자에 의지하도록 한다. 그리고 부모에게서 자식이 나왔을 때 자식은 지상의 생활을 더 잘 아는 부모에게 의지하도록 한다. 그리고 큰 생활공동체인 국가에서는 단지 지상의 생활경험만으로는 부족하여 輪生을 통해 지상의 생활을 충분히 겪어 사람들의 생활을 지도할 수 있는 고수준의 靈侖을 중심으로 생활방향의 기준을 설정한다. 육체의 힘에 따른 부위부강 그리고 현생의 경력에 의한 지식(知識)에 따른 부위자강 그리고 윤생의 경력에 의한 지혜(智慧)에 따른 군위신강이라는 세 단계의 질서기준을 삼강에서는 밝히고 있다.

신미는 다시 오륜의 불교적 의미를 설명했다.

- 부자유친(父子有親)이라 가족이 가까이 지냄은 기존의 업보에 따른 당위이고 마음에 든다고 가까이 지내고 마음에 들지 않는다고 멀리 지내는 그런 관계가 아님입니다. 부자의 관계는 사람이 임의로 맺은 것이 아니라 기존의 인연에 따라 천상에서 맺어져 아들이 태어나

면서 시작되는 것이니 현생을 사는 우리의 뜻대로 결속하거나 해제할 수 없고 그만큼 현생에서 함께 업장해소를 위해 노력해야 할 관계라는 것입니다. 군신유의(君臣有義)라 임금과 신하 사이에는 의로움이 있어야 한다는 것은 군신관계는 대국(大局)의 인연관계로 만난 사이이니 은원(恩怨)의 정리를 역시 큰 범위에서 보아야 합니다. 군신 사이에서는 물론이고 나라의 녹을 먹는 공인은 가까운 인연의 자들에게 무엇을 베풀고 선업(善業)을 쌓으려하는 것보다는 나라 안의 모든 중생에게 선업을 쌓는 대의(大義)에 치중해야 합니다. 부부유별(夫婦有別)이라함은 남녀가 자기의 육신이 지어진 목적에 맞게 서로 효과적인 역할을 구별해야 자기를 남자 혹은 여자로서 탄생하게 한 부처님의 뜻을 실현함입니다. 장유유서(長幼有序)는 혈족의 여부를 막론하고 세상을 먼저 살아온 자들의 경험을 따르고 축적하면 사바세계에서도 진리를 더 가까이할 수 있음을 말합니다. 붕우유신(朋友有信)으로 벗 사이에는 믿음이 있어야 함은 혈연을 통하지 않게 생성된 관계일지라도 그 인연의 본질은 가족과 다른 것이 없으니 가족이 아니라고 하여 의심하고 이해타산(利害打算)으로만 대하며 관계를 가벼이 여긴다면 그 업이 쌓여 다음 생에는 아마도 관계를 피할 수 없는 가족으로 태어나 업을 갚아야 할 것입니다. 벗의 관계로 있는 현생에서 스스로 믿음으로 충분히 덕을 베풀면 인륜관계에 따라 가족에게 베푼 덕보다도 덕업(德業)이 쌓이는 것입니다. 이렇게 도리를 지켜 행함으로써 올바른 삶을 산 조상의 덕을 보는 후손이 있다면 그 사람은 그 조상의 후신이거나 적어도 그 조상에게 업보의 채권이 있는 인접영혼으로서 같은 영륜에서 운명의 밀접한 교류를 하는 관계입니다.

- 결국 한 영륜의 영혼들이 의기투합하여 지상에서 한 인륜의 질서 속에 다시 태어난다면 비록 태어나는 시기는 다를지라도 서로의 업을 보상(補償)하는 관계에 서게 되는 군요.

안평은 알겠다는 듯 끄덕였다.

- 사람들은 흔히 전생과 후생의 업보 혹은 조상과 후손의 업보의 관계로 시간을 다르게 두고 말하기를 즐겨하지만 시간의 차를 거의 두지 않은 채 동시에 그러한 일이 생겨나는 경우도 많습니다. 저승에서 보면 이승에서 흘러가는 시간은 의미가 없으니 시간을 두고 일어나는 일이나 함께 일어나는 일이나 두 가지는 서로 다른 현상이 아니겠습니다. 태조대왕의 장자 진안대군(鎭安大君)께서는 비록 불도입문은 안하셨더라도 부귀공명을 멀리하심으로써 왕실영륜의 업보를 상쇄하여 왕가의 자손이 세상에서 용납되기에 보탬을 주신바 있습니다. 전조(前朝, 고려)의 문종대왕(文宗大王) 때는 왕자께서 출가하여 대각국사의천(大覺國師義天)이 되셔서 왕가의 안녕을 더하신 바도 있었던 것입니다. 이런 것이 다 세속에서 큰 업장을 더할 위험이 있는 왕가의 업장을 덜어주는 일입니다.

신미의 마지막 말은 간혹 세간의 여염집에게도 있는 것으로서 집안의 아이가 그대로 살면 죽을 수 있으니 집안에 딸린 액운을 떨치려면 아이를 출가시키라고 하는 것과 같은 권유를 안평에게 한 것이었다. 안평은 수양과 함께 왕재(王才)를 가지고 왕가에 태어났지만 금생에 왕가와의 인연이 한정되어 있으니 출가하여 생애 중에 왕가와의 인연을 끊고 세수(世壽)를 연장하여 불도를 닦으면 후생에 더 지혜로운 왕업이 가능하리라 하는 것이었다.

불심의 전달자

다음에 이네들 중 가장 맏이면서도 여자라는 이유로 이제까지 잠자코 있었던 정의공주가 이윽고 자신의 질문을 했다. 공주가 대군들과 함께 궁중사를 논할 수 있는 것부터가 부왕의 총애를 받기 때문에 가능한 일이었다.

정의공주가 부왕의 총애를 받을 만한 일은 또 있었다. 왕은 신미와의 대화 후에 군왕과 고승이 백성을 가르치는 음성을 그대로 널리 전할 수 있도록 소리를 기록하는 방식을 홀로 연구하다가 의문이 났다.

나무를 벤다 할 때 나무에 대한 토씨는 '를'로 발음된다. 그런데 밥을 먹는다 할 때의 토씨는 '을'로 발음된다. 둘 다 이두로는 을(乙)자로 필기하지만 이렇게 자주 사용되는 말귀를 음 그대로 필기하지 못한다면 음문자라하기가 무색해진다.

아직은 이러한 계획을 비밀로 하고 있었기에 집현전학자들과 상의할 수는 없었다. 왕은 세자와 대군 등 가까운 왕자들에게 혹 지혜를 구할까하여 함께 있는 자리에서 넌지시 묻곤 하였다. 그러나 그들 모두 답을 하지 못했고 왜 그런 불필요한 노력을 하시냐고 반문하는 왕자도 있었다.

고민하던 왕은 자기가 혁신적인 구상을 하면서도 정작 고정관념에 매여 있음을 알았다. 여자라고 지혜가 있지 않을 것인가.

- 참 정의공주가 있었지 이두에 특히 능하니 답이 있을지 모르겠구나.

왕은 공주를 불러 이 문제를 상의했다.

- 변음(變音)이 토착(吐着)할 때 일어나는 문제를 해결하지 못하면 음문자를 창제하지 못할 것 같구나.

- 아마바마께서 음문자창제의 계획을 가지심은 위대하옵시나 이두나 왜(倭)의 문자를 따라 만듦은 큰 전기(轉機)기 되지 못하리라 보옵니다. 전혀 다른 관점에서 음을 세밀히 분류하여야 하리라고 보입니다. 이두에서 쓰이는 乙은 본래 한자의 발음인 을이 아니라 혀를 입천장에 대고 굴리는 소리를 가리키는 것으로서 목을 울리는 중성이 포함되지 않은 것입니다. 그래서 '나무'를 만나면 '무'에서 중성

이 울리는 것을 따라 혀가 입천장에서 울리다가 접촉하여 '를' 소리를 냅니다. 반면에 '밥'을 만나면 '밥'에서 종성이 울림이 없다보니 그대로 혀가 입천장에 접촉하여 '을'하고 막힙니다. 이렇게 초성이나 종성을 내는 자음을 따로 만들고 중성이 되는 모음을 따로 만들면 각각의 음소(音素)에 따라 맞는 글자는 올바로 지정하되 말귀가 그 놓인 위치에 따라 변음하는 것을 따라 적을 수가 있겠습니다.

정의공주는 이두(吏讀)나 왜자(倭字)처럼 음절별의 표기를 하는 음문자로는 변음현상에 적응하지 못하니 음문자창제의 의미가 없음을 지적하여 음문자 창제의 중요한 방향을 세운 것이었다. 왕이 무릎을 치며 정의공주를 더욱 총애했음은 말할 나위 없다.

정의공주는 이두를 연구하고 유학을 학습하며 불교의 신앙을 따르는 생활을 했다.

- 대사님 불교에서는 방거사(龐居士) 일가의 수행(修行)을 최고의 모범적 사례로 간주합니다. 하지만 유교에서는 참으로 끔찍하기 이를 데 없는 일입니다. 딸 영조(靈照)는 부친에 앞서 자살하였고 이어 부모까지 온 가족이 거의 한꺼번에 몰사하지 않았습니까. 이렇게 불교와 유교의 관점이 극히 상반되는데 어찌 양 이념이 쉬이 공존이 가능하리라 보십니까.

방거사는 당나라 때 사람으로서 부친이 벼슬한 집 출신이었다. 과거보러가다가 석두(石頭) 마조(馬祖) 두 선사(禪師)를 만나 세상명리를 버렸는데 그의 불도수행결심에 가족모두가 동조했다. 수행할 암자를 가택 옆에 세우고 수년 뒤 온가족이 득도하자 집을 사찰로 바쳤다. 집의 보물 중에 타인에게 주어도 진정한 도움이 되지 않을 것들은 배에 싣고 강에 버렸다. 묘덕(妙德)과 변재(辯才)가 뛰어났으며 문자의 진전(眞詮)을 갖춰서 여러 지식인들과 교류하며 지극한 이치의 담론을 나누었다. 가족이 죽공(竹工)으로 살면서도 함께 화롯가에서 고구마를 먹으며 도담(道談)을 나누는 것이 행복이었다. 아들은 장가가지 않고 딸은 시집가지 않은 채 집안은 단란하게 무욕으로 생활했다.

말년에 방거사는 호북(湖北) 양양(襄陽)의 바위굴을 집으로 삼아 공부하는데 딸이 시봉들었다. 부인과 아들은 산속의 황무지를 개간하며 가족 모두 탈속도인의 생활을 계속했다.

그 지방 태수 우공(于公)이 거사를 흠모하여 찾아왔다. 만나보니 옛 친우처럼 뜻이 맞아 이후 왕래하며 정분을 깊이 했다.

입멸하려 할 때 딸 영조에게 심부름을 시켰다.

- 오늘 정오에 열반에 들 것이니 밖에서 해를 지켜보다 정오가 되면 알려다오.

영조는 나갔다 들어왔다.

- 아버지 오늘 일식을 하는군요. 잠깐 나와 보십시오.

- 그럼 보고 와야겠구나.

거사가 나가자 영조는 아버지가 앉아 공부하던 자리에 가부좌하고 열반에 들었다.

아버지 거사는 돌아와서 보고는

- 이놈 봐라 날 속였구나. 그러나 장하도다.

하고 웃었다.

영조는 어려서부터 화롯가에서 아버지와 선담(禪談)하면서 선기(禪機)를 체득하고 생사를 자재(自裁)할 능력을 얻었다.

방거사는

- 네가 나보다 솜씨가 좋으니 할 수 없이 나는 칠일 더 있다가야겠구나.

하고 딸의 시신을 거두어 나무를 모아 다비(茶毘)했다.

칠일이 지나 우공이 문안을 왔다.

- 어서 오시오. 우적(于頔)거사.

- 당신이 그리웠소.

- 내가 주변에 없는 것이 심심하여 이리로 오면 내가 있을 것으로 믿고 오셨소. 있는 것은 모두 공(空)하니 삼가 없는 것을 있다고 하지 말지니라. 세상살이는 다 메아리와 그림자 같은 것이니.

향기 가득한 중에 방거사는 좌선(坐禪)하고 있었다.

- 파도가 쉬이면 물결은 절로 가라앉으리다.

우공이 한마디 했는데 방거사는 말이 없었다. 보니 이미 열반에 들었다.

- 이사람 벌써 갔어, 너무 빠르지 않는가.

이럴 줄 알고 있었지만 허망하였다. 다비하고 한 줌의 재를 방거사의 별거 중인 아내에게 보냈다. 아내는 태수의 사환에게서 유골을 받고 놀라움 없이 언덕위의 아들에게도 전해달라고 가리켰다. 황무지를 개간하던 아들은 소식을 받고 그럼 이제 우리도 가야하겠군요 하며 괭이를 잡은 채 열반에 들었다. 아내는 아들의 시신을 거두어 화장하고는 마을을 돌아 작별을 고하고 사라졌는데 아마 육신까지 남기지 않고 열반에 들었을 것이라고 한다.

이렇듯 상반되는 불교와 유교의 가치관을 어떻게 조화시키는가는 가늠하기 어려운 일이었다. 신미는 불교수행(佛教修行)의 목표가 유교보다 먼 곳에 있음을 설명해주었다.

- 그러한 가치는 세상을 지도할 책임이 있는 왕실에서 그리고 국가의 중추직분을 맡는 대신을 배출하는 양반가에서는 상상하기 어려울 것입니다. 아직 선업쌓기와 업장해소에 노력해야 할 영혼들로서는 지나치게 먼 목표를 보면서 어리둥절해 할 것이 아니라 당면한 본분의 수행(遂行)이 우선되기에 유가의 인륜지도(人倫指導)가 유효한 것입니다. 방거사 일가의 성불(成佛)은 그들 모두의 영혼수련이 막바지에 이르러 세상에 참 수행의 모범을 보여준 것입니다. 사람

이 죽어 혼이 육체를 떠나는 일은 혼은 미련이 남아 발버둥 치는데 神明이 잡아당겨 떠나거나 사바의 육신을 파괴하여 떠남입니다. 그러나 방거사 일가는 불도의 수행으로 혼신(魂神)일체가 되어 있어서 魂이 이 정도면 神에 흡족할 만큼 수행이 되었다고 판단될 때에 神에 합류하고자 스스로 몸을 떠날 수 있었던 것입니다. 그들이 열반에 드는 방식은 세상의 죽음과는 달랐던 것입니다.

- 그래도 딸 영조는 더 살았어야하지 않을까요. 부모의 뜻을 계승하여 세상에 남기고자 한다면 말이에요.

정의공주는 다시 궁금했다.

- 영조남매는 방거사부부와 육화상태를 종료하는 시기를 맞춰 태어남입니다. 방거사부부가 영조남매를 낳기 이전에 영조남매는 방거사 부부가 현생에서 세상의 명리의 헛됨을 깨닫고 수행(修行)을 시작할 정도의 성과를 전생과 간생에서 이미 이루었기 때문에 저들 남매는 태어나서 세상의 가치를 따르는 인생을 겪지 않고 곧바로 수행에 들어갔던 것입니다. 이 때문에 방거사가족의 지상수행의 마침은 거의 동시에 이루어졌던 것입니다.

- 방거사의 가족은 참으로 불도의 수련에 높은 성취를 하신 분들이라고 인정이 돼요. 그렇지만 저는 왕실의 사람으로 또 여자로 태어난 것에 따라 주어진 본분에 알맞게 살아왔고 앞으로도 그렇게 살겠어요. 불심을 지니고 살면서도 사바세계의 가치를 백안시하지 말

고 어찌하면 내가 할 수 있는 것을 다하여 중생을 계도하고 행복하게 할까 궁리해야겠어요.

- 공주마마께서 전하의 상처를 치료하시고 정음창제에 중요한 발상을 주신 것 등의 업적이 있으심을 보아도 공주마마는 지혜 높은 영혼의 현신이십니다. 王子로 탄생하셨더라면 능히 王材가 되심에도 탄생의 본분에 순응하심은 이미 공주마마는 전생에 王者의 경험도 충분히 누려보았지만 女身의 굴레 안에서 절제력을 수련하고자 금생에 유교사회의 여인으로 나심을 자원하셨던 것입니다. 만약에 공주마마의 영적수련이 부족한 상황이었다면 지상에 와서는 애초의 탄생목적을 잊고 여인의 몸으로 태어남을 한탄하셨을 것입니다.

- 호호 대사님. 저 스스로 그렇게 깨달았다기보다는 유교의 가르침이 워낙 여인의 본분을 강조하니 달리 선택의 여지가 없어서입니다.

여인의 영격이 성숙되지 않았어도 아직 여성으로서의 윤생을 거듭하는 중이라면 현생에서 여성의 본분에 제약된 삶이 그리 생소하지 않아서 유교사회규범에 자연스럽게 순종하며 규율순종단계의 영적수업을 받을 것이다. 그런데 여인이 그 다음의 자기성취단계의 영적수업을 받는 영혼이라면 많은 윤생을 거치면서 성별과 문화가 변화하면서 전생에 익숙했던 환경과 현생에서의 환경이 다르면 불편을 느끼게 되는데 특히 윤생을 거쳐 길러진 사회활동 능력이 충분함에도 유교사회의 여인으로 태어난다면 답답함과 욕구불만을 가질만 하다. 이런 경우 여성으로서 태어난 신분을 비관하게 된다.

그러나 정의공주의 영혼수업과정은 성취단계를 넘어 인연순화의 단계로 접어들어 있었기에 남성과 같은 성취욕을 충분히 인식하고 있더라도 비현실적 욕구를 절제하고 유교사회 왕실의 여자로서의 최적의 처신을 따름을 신미는 파악하고 있었다.

- 이유가 무엇이든 간에 공주마마께서 순응하심은 마마께서 성숙한 군자의 영혼에 이르렀음 때문입니다. 어떤 사람이 설령 자기의 탄생조건에 불만을 가질 수 있더라도 유교에서의 남녀유별 가르침은 미성숙한 영혼도 공주마마처럼 성숙한 자세를 가지도록 추진하는 것입니다. 하지만 만약에 불교이념을 국시로 하는 나라에서 어설프게 불학을 공부한 자들이 관리로 등용된다면 사람의 영혼은 윤회를 통해 남자도 되고 여자도 될 수 있으니 남녀가 무슨 차이가 있냐다 똑같은 행실 기준을 가져도 된다하며 남녀유별을 부정하고 사람들을 방탕하게 방치할 겁니다. 총명하신 정의공주마마께서 여자의 본분을 지키심은 유교에서 가르치는 바와 부합되지만 그것이 바로 불교의 목적에 따른 업장해소에 협조하는 자세이십니다.

현대의 성소수자 관련 이슈에서도 어떤 승려는 영혼은 남자로도 여자로도 짐승으로도 태어날 수 있는데 성전환이 무슨 허물이 되냐고 주장했지만 해탈이 되기 이전까지는 무엇으로 태어난 의미를 살려야 영적인 성장이 지속되는 것이다. 인간으로 태어났으면 인간의 도리를 지켜야 하고 짐승의 것을 따르면 안 되듯이 다른 세세한 탄생조건도 다 그만한 이유가 있는 것이다.

신미는 정의공주의 다음질문을 기다리지 않고 보충하는 설법을 더했다.

- 아미타불의 사십팔 대원(大願)의 제 삽십오願에서는 십방(十方)세계에서 아미타불의 이름을 듣고 좋아하고 믿으며 보리심을 내는 여인 누구든지 만약 여인의 몸을 싫어한다면 죽은 뒤에는 다시 여인의 몸을 받지 아니하여야 하는 것이 아미타불이 부처가 되어 당신의 국토를 얻기 전에 성취되어야 할 조건이라고 합니다. 서방정토(西方淨土)에서는 원치 않는데 여인의 신분으로 있는 자가 없을 것이니 곧 여인의 몸을 가진 자가 여인의 미덕을 베풀지 않는 자가 없음입니다. 여인 모두가 여인의 도를 지켜나감은 세상이 극락을 향해 가는 길입니다.

- 서방정토에서는 여인의 삶이 고되고 힘들지도 않을 테지요.

- 제삽십팔願에서는 아미타불의 국토에서는 옷 입을 생각만하여도 아름다운 옷이 저절로 몸에 입혀지고 바느질한 자취나 물들인 흔적이나 빨래한 자국도 없다합니다. 당연히 여인의 수고는 없는 곳이지요.

- 정말 여인의 수고가 없으니 할 일이라고는 미색을 뽐내는 것뿐

이겠네요. 여인들이 행복한 곳이 정말 서방정토이군요.

정의는 지금의 현생에서도 바느질하거나 빨래하느라고 수고하며 살 필요는 없는 신분이지만 완벽하게 아름다운 옷으로 원하는 대로 몸치장을 할 수 있는 극락이 선망되기는 마찬가지였다.

수양은 토론에 참여하지 않을 때에도 신미의 발언을 경청했다. 수양은 신미에게서도 바로 정의공주와 같은 그런... 충분히 왕재를 타고났으나 운명이 왕이 아닌 다른 역할을 하도록 지정된 인물을 보고 있는 것이었다.

수양에게는 이번 생이 자신과 속한 영륜(靈侖)의 윤회(輪回)의 흐름을 오래 전부터 지향하던 궤도에 올리는 중요한 기회였다. 이를 위해서는 영륜의 지도령의 현신인 신미와의 친분을 더해야 할 것이었다. 앞으로 수양이 겪어야 할 운명이 윤회의 강을 따라 보내야 할 무거운 업궤(業櫃)라면 신미는 그 짐을 떠받치고 강 물결위에 흘러가는 선주(善舟)가 되어야 할 것이었다.

안평은 신미에게서 축복을 받는 것을 형통의 길로 보아 불사(佛事)에 정성을 드렸는데 후에 부왕과 모후가 죽고 이어서 형왕(兄王)이 죽은 후에 아들이 죽고 아내도 죽은 일을 당한 후에는 불사가 무익하다고 보아 중단한다. 안평의 신앙은 기복(祈福)에 머물러 있던 것이었는데 후에 그자신이 겪을 일을 감안하면 신앙이 발전되어 고려 문종의 아들처럼 출가를 하는 것이 좋았을 것이었다. 세종일가의 불교신앙이 깊은 중에는 능히 있을 만한 일이었다.

정의는 자신의 처지에 알맞은 설법을 베푼 신미를 더욱 존경하게 되었다. 이렇게 신미는 세자와 수양대군 안평대군 그리고 정의공주와의 친분으로 왕가에 준하는 출입권한을 가지고 궁궐을 자유로이 기마(騎馬)하여 드나들었다.

한편 동생 수온은 학문에 정진하여 집현전학사의 자격을 얻었다. 신미도 집현전학사이지만 집현전에 상근하기 어려운 중에 수온은 신미의 뜻을 집현전에 전달하기에 좋은 창구가 되었다.

기마출입을 두고 대신들과 유생들의 질시의 소리가 있었다. 수온이 이를 듣고 염려를 전했다.

- 형님이 대궐에 기마로 출입하는 것에 비판의 소리가 많습니다.

수온은 겸손한 성품의 신미가 이 말을 듣고 즉각 기마출입을 중지하여 불평을 잠재울 것으로 예상했다.

- 대궐에 출입하는 것은 중생 김수성이 아니다. 상감마마와 대군마마들께 전해드릴 불심이다. 상감마마의 다른 조치가 있기 전까지는 불심을 가다듬어 모셔 전달해드리는 데 정성을 다할 생각이다.

신미에게는 존귀한 불심의 전달자와 세상일에 무욕하고 겸손한 일개중생의 두 존재가 공존했다.

왕이 신미를 총애하니 대신과 유생 들은 전조의 승려 비선정치(祕線政治)가 재개되는 것이 아니냐고 우려하며 신미의 행보를 감시했다. 의심거리가 있으면 과장하여 고하기도 했다.

조정의 대신들과 전국의 유생들은 왕의 불교 신봉을 비판하는 상소를 올렸다.

- 조선은 전조와 같은 왕사의 제도는 폐지되었고 이제 유교를 국시로 하는 나라이온데 일개 승려가 궁궐을 자의(恣意)로 출입하며 대군들을 현혹하여 국가대사를 위해 쓰여야 할 물자와 역량이 낭비되고 있사옵니다.

왕은 상소를 거절하면서 불교를 옹호하는 자신의 견해를 밝혔다.

- 경들은 고금의 사리에 통달해 불교를 배척하는가. 주(周)나라가 팔백년을 계속한 것은 선조의 덕을 후손이 입은 것이고 진(秦)나라가 二代를 가지 못한 것은 시황제의 악행 때문이라고 믿는가. 역사의 결과를 가지고 그 이유를 붙인다면 가히 현신(賢臣)이라 이를 만할 것이다. 나는 촉한(蜀漢)의 유비(劉備)가 선정을 베풀고 의리를 지켰음에도 천하통일을 이루지 못하고 二代에 몰락함을 두고 그 이유를 몰라 불법(佛法)을 믿고 있으니 가히 무식한 임금일 것이다. 이제 세상의 덕행의 결과가 세상에 그대로 드러나고 악행의 결과도 인간이 관찰하게 된다는 그대들의 뜻을 훤히 알겠으니 번거롭게 다시 청하지 말라. 불교가 세상에 보이는 현상 너머의 진리를 가르치니 공자의 도(道)보다 높다함을 주자가 용인하지 않으려 했지만 이는 석가모니의 진리설법을 잘 몰라서이니 사람이 한 번 세상에 태어나 살

고 죽는 것을 넘어서 천당과 지옥을 드나드는 사생인과(死生因果)는 정확한 이치에 따른 것이며 결코 허탄(虛誕)한 것이 아니다.

대장경을 갖다줘버리라니

왕은 불교의 완전한 진리를 따라 이 나라를 다스려 이 땅이 불국정토가 되고 훗날에는 이 땅의 온 백성을 극락에서 만나리라는 상상을 했다. 정든 풍습과 인연은 그대로 이어지면서 모두가 근심걱정 없이 영원히 함께 행복하게 산다는 것은 이 땅에 태어났던 중생 하나하나가 불심이 충만하여 천상으로 모이면 가능할 것이 아닌가.

하지만 불교가 이 땅에 온지 천년이 되었지만 불국(佛國)의 이상(理想)을 세운 국왕은 없었다. 고작해야 궁예(弓裔)와 같은 폭군이 있었는데 기록된 악행은 혹시나 반대자들에 의해 과장된 것일지라도 여하 간에 실패했던 것은 바라보는 목표가 너무 높았던 것이 아닐까. 오를 수 있는 곳을 보고 전진해야 어느 정도 올라갈 수가 있지 까마득한 곳만을 바라보며 앞으로 가다간 부지불식간에 낭떠러지로 추락할 뿐이다.

왕의 정치로써 불국정토를 만들어 백성 모두를 부처가 되게 하겠다는 것은 지나친 욕심이다. 그래서 이 나라의 목표는 백성이 부처 즉 성인(聖人)이 되게 하는 것이 아니라 백성이 중근기(上根機)를 넘어 군자가 되게 하는 것이었다.

이렇게 너무 큰 목표는 아닐지라도 현생에서 맞은 왕업이라는 것은 크나큰 짐이 아닐 수 없다. 지나간 윤생의 업적에 따라 운세가 고조되어 현생에서 大事를 행할 기회가 마련되었는데 이 기회를 저버린다면 업행(業行)에 화(禍)가 미칠 것만도 같았다. 국왕의 권세로 할 수 있는 한 불심을 전파해야 할 것이었다.

왕은 왕자 수양을 불러 내불당을 증축하라 명했다. 수양은 독실한 신앙을 가졌기에 반가운 지시였다. 그러나 왕가의 일원으로서 걱정되는 것이 있었다.

- 분부 받들어 행하겠사옵니다. 그런데 조선은 태조대왕이래 유교를 치국의 이념으로 삼는 나라이옵니다. 백성의 모범이 되어야 할 왕실에서 불교를 숭앙함은 백성에게 그릇된 모범을 보일까 염려되옵니다.

- 유교는 나라를 다스리는데 소용되는 이념이지만 우리 인간 개개인의 생로병사에 따른 번민에 답을 주는 것은 아니다. 백성에게는 여

전히 불교의 신앙이 삶의 지침으로 소용되어야 하듯이 우리도 백성의 심정을 알려면 불교의 신앙을 가져야 한다. 네가 할일은 불당건립의 감독 말고도 신미대사의 아우인 김수온과 함께 불서(佛書)의 번역을 감장(監掌)하라. 그리고 향악(鄕樂)의 악보(樂譜)도 감장하고 정리하라.

수양에게는 나라 안의 비유학(非儒學) 학술활동 전반을 관리감독하라는 명이 내려진 것이었다.

- 동궁 형님이 계시지 않습니까.

- 동궁은 불교를 그리 좋아하지 않는다. 기실 대신들과 함께 이 나라의 국시인 유학을 연구하고 치국의 준비에 힘쓰는 것이 세자에게 우선되는 도리이니 세자는 이쪽 방면은 관여 안 해도 될 것이니라.

수양은 세자인 형님과 독립적으로 자기가 전적으로 관리할 과업을 맡게 되었다. 평소 권력욕이 강하던 그로서는 좋은 기회를 얻은 것이었다.

왕은 나라 안의 불교에 관한 계획을 수양에게 지시하여 수양이 제기했던 우려를 불식(拂拭)해주었다. 비록 개인적으로 불교를 신앙하지만 불교 성직자의 세력이 국가운영에 지나친 영향을 미치는 것은 미연에 방지하겠다는 것이었다. 전조 고려의 문제를 반복하지 않겠다는 의지는 분명했다.

- 각 승려들이 파벌을 만들어 저마다 세력을 구축하는 것은 옳지

못하다. 조계종(曹溪宗), 천태종(天台宗), 총남종(摠南宗)을 합해 선종(禪宗)으로 하고 화엄종(華嚴宗), 자은종(慈恩宗), 중신종(中神宗), 시흥종(始興宗)을 합해 교종(敎宗)으로 하여 선교양종(禪敎兩宗)으로 정리하라.

왕의 명령에 수양은 동의했다.

- 지당하시옵니다. 교리가 그리 다르지 않은 교파들이 인맥대로 분리되어 종파를 나누고 신도들에게 충성경쟁을 시키는 것은 어리석은 백성을 현혹하여 수탈하는 것이나 다름없습니다.

- 허허. 정의감으로 그 취지를 파악해주니 기특하구나. 불교의 지방권력을 제거해야 한성(漢城)을 중심으로 국가기강이 든든해질 것이다. 종파를 통폐합시키는 심의(心意)의 긴축을 단행하면서 해당되는 일부 사찰도 폐쇄하는 물상(物象)의 긴축을 행하여 사찰재산과 노비를 몰수하여 국고에 더해야 하겠다.

불교조직의 정리계획은 신미에게도 이미 말해준바 있는 것이었다. 왕실과 백성의 영혼구원은 진리전파와 불심의 함양에 달린 것이지 종교조직의 융성은 다른 차원의 것임을 왕과 신미는 인식하던 것이었다. 왕은 자신의 불심함양을 신미에게 의지하면서 모든 정책을 곁에서 지켜보게 하니 국정을 행하는데 미혹이 없었다. 백성을 교화시켜 이 나라를 불국정토에 한 뼘씩 근접하게 하는 정치를 한다는 믿음은 변함없었다.

제도적인 왕사의 자리는 아니라도 왕은 국가의 앞길에 중요한 영향을 주는 사안을 신미에게 자문하게 되었다. 신앙자체에 관련된 것은 아니지만 대신들에게만 물어서 결정하기는 불가한 것이었다.

- 왜국의 사신 양예(亮倪)가 들어와 대장경을 달라고 하오. 우리의 귀중한 보물이니 쉽사리 내줄 수 없다고 생각되지만 대신들의 생각은 대장경은 무용지물이니 내주어도 좋다고 하는데...

- 전하. 아니 되옵니다. 고려 때 대장경을 판각(板刻)함은 부처님의 가피(加被)로 호국하자 함이었으니 대장경은 이 나라를 지킨다는 상징이 되옵니다.

- 왜국이 대장경을 요구하는 구실은 이제 우리나라가 유교국이 되었으니 필요 없다는 것이오.

- 저들의 나라는 인간(人間)의 제사(諸事)를 싸움과 정복으로만 지내왔던 미개한 나라임을 통촉(洞燭)하시옵소서. 우리나라의 천명이 바뀌어 신조(新朝)의 다스림을 입어도 단군 이래 삼한겨레의 혼은 이어지고 있사온데 지난 시절의 업적을 버린다는 것은 있을 수 없는 일이옵니다.

- 허허. 왜인들의 생각으로는 마치 우리 조선이 고려의 군신은 물론 백성까지 쳐내어 도륙하고 세운 나라인 줄 아는 듯하오. 마치 몽고의 원나라가 송을 점령하여 전대(前代)의 업적을 단절했듯이...

- 궁벽(窮僻)한 섬에 살며 중화의 곡절을 이해 못하는 저들은 그리

볼 것이옵니다. 人間을 다스리려면 유가의 도리나 불가의 도리나 다 같이 소용이 있을 것인데 나라를 다스림에 새로운 근간을 세우더라도 前代에 쌓인 가르침은 바탕이 되어야 할 것이옵니다.

- 그렇겠소. 만약에 유가냐 불가냐 어느 쪽만으로 나라를 다스려야 한다면 천하에 우리나라가 있어야 하는 의미도 없고 대국의 일부가 되거나 천축(天竺)의 파견국(派遣國)이 됨만도 못할 것이오. 고금의 세간의 지혜를 모아 중생을 구할 방도를 찾는 것이 우리 삼한의 소명일 것이오.

왕은 대장경이 무용지물이라는 일부유학자들의 주장을 기각하기로 마음먹고 다시 현재의 대장경에 관한 자신의 견해를 밝혔다.

- 과인은 우리의 유자(儒者)들마저 그렇게 생각하는 것은 이유가 있다고 생각하오. 우리의 한문대장경은 문식인(文識人) 만이 볼 수 있는데 나라의 지도방침이 유학에 있으니 문식인은 유가의 경전을 보느라 불경을 볼 겨를이 없을 터이고 어리석은 백성은 불가의 가르침을 따르고자 하여도 대장경을 읽지를 못할 터이니 어느 모로나 소용이 없을 것이오. 사찰에는 漢文대장경과 梵字대장경 만이 있으니 백성에게 소용이 되지 못하고 있소.

이에 대하여 신미는 오랫동안 품었던 뜻을 펼칠 기회라 생각되어 아뢰었다.

- 전조(前朝)에 한문대장경이 간행되었음은 불교를 치민(治民)의

방도로 삼았기에 귀족과 사대부가 불경을 읽도록 함이었는데 지금은 사대부가 유교의 경전을 읽으나 유교는 군자의 도리를 가르치는데 치중하고 있어 사리(私利)를 찾아 살 수밖에 없는 백성을 향한 배려는 많지 못하옵니다. 백성을 향한 불교의 가르침이 원활치 못함을 심려하시는 성은에 소승 참으로 송구하온 바에 전하께 소원(所願)을 올리옵니다. 한문대장경은 본디 범어로 된 대장경을 중화의 학문체계에 맞도록 번역한 것이온데 범어를 적은 실담자(悉曇字)는 음문자인 바 그러한 음문자의 수단으로 우리 삼한의 일상말씀을 적을 수 있다면 번거롭게 한문을 거치지 않고도 부처님의 가르침을 백성에게 전달함이 가하리라 사료되옵니다.

왕은 미세하게 끄덕이는듯하면서도 잠자코 있었다. 중요한 결정을 앞두고 좀 더 지혜를 구하고자하니 발언을 계속하라는 태도였다.

신미는 이어서

- 지난 역사에 불교의 승려가 국정에 지나친 영향을 주어 그것을 불교의 병폐라고 하여 승려의 정치관여를 제한하는 새로운 관행은 지당하다고 사료되옵니다. 불심은 중생의 영혼구제를 위하여 있어야 하고 백성을 모아 다스려 저들의 탄생의 업보를 풀어갈 길을 만드는 일은 세상의 구성이치를 학습한 유생들이 천명을 받은 나랏님을 받들어 맡아야 하리라고 보아집니다. 다만 백성이 나라의 제도에 따르며 저들의 업보를 풀어가는 생활을 하면서도 그러한 삶의 목적을

알도록 부처님의 가르침을 받아야 생의 복락을 느끼고 나라에도 충성하게 될 것이옵니다. 지난 역사에서도 백성은 불학을 공부하지 못해 인연이 되는 승려의 가르침에 전적으로 따라야만 했는데 사람이란 가엾은 중생의 탈을 덮어쓴 존재라 늘 육욕(肉慾)과 물욕(物慾)에 시험받게 되고 그러다보니 승려의 자격을 가진 자라도 백성을 현혹하는 사례가 없지 않아 폐단이 되었습니다. 백성이 그릇된 교리를 따르지 않도록 백성 누구나가 부처님의 가르침을 그대로 접하게 함이 지난날 불가의 그릇 행함을 되풀이 않는 길이라 여겨지옵니다.

하고 아뢰었다.

- 그러면 어찌해야 좋겠소. 대장경을 인쇄하여 널리 보급함도 방법이라 여겨지네만 그 또한 대장경을 읽을 수 있는 자들의 설법에 백성이 의지하게 됨일 뿐이고...

이윽고 말문을 연 왕은 사정을 알면서도 건의와 승인의 형식절차를 밟기 위하여 신미의 진언을 거듭 요구했다.

신미는 불경에 통달했으나 한문에 오역이 있음을 알고 원어인 범어를 공부하여 한문뿐 아니라 범어에도 능통했다.

- 소승이 범어를 학습하온바 실담자는 한문과는 달리 그 발성하는 양상에 따라 문자를 기록하는데 우리의 말씀도 발성이 변화무쌍하여 모든 언어에다가 문자를 만들어 지정하기는 번거롭게 되어있습니다. 그러니 우리 조선에서도 우리의 발성에 맞춘 음문(音文)을 지

정하여 백성에게 보급함이 가하지 않을까 하옵니다. 하면 이제까지 백성에게 설법하는 말씀 그대로 글을 적게 되니 한문경전보다 쉬이 경전을 익힐 수 있어 백성 누구나 경전을 보도록 될 것이옵니다.

왕은 드디어 확실히 고개를 끄덕이고는 자기도 그런 생각을 가져왔음을 털어놓았다.

- 과인도 공감하는 바이오. 일찍이 태조대왕께서 전조 때부터 우리의 북쪽을 어지럽혀 왔던 여진인들을 품에 거두시어 충직한 백성으로 훈련시키시었고 이제 저들을 병합하여 새로이 더욱 큰 나라가 되었소. 헌데 저들은 이천년 중화의 지식을 대국과 공유하는 우리와 달리 북녘의 벌판에서 야만의 관습에 의지해 생활해왔으니 우리 민족이 이천년 사용해왔던 문자를 익히지 못하였소. 당장에는 저들에게 먹을 것 입힐 것을 주어 백성으로서 순종시킨다고 하여도 저들이 우리 백성들과 함께 뜻을 실어펴지 못하면 저들은 이 땅에서 고립이 되어 살다가 필경에는 역도(逆徒)가 되어 나라의 근심거리가 될지도 모르오. 어서 저들과 기왕의 우리백성이 공동으로 의사를 통할 방안이 마련되어야 하겠소.

- 중화의 지식을 아예 갖지 못한 저들까지도 우리 조선에서 포용하기 위하여서는 저들과 우리가 함께 통할 음문자를 제정함이 더욱 가한 줄로 아옵니다.

- 그렇소. 우리의 말씀을 이두로 기록함은 마음을 마귀의 그늘이

라 하여 魔陰이라 하고 사람을 사방을 둘러본다하여 四覽이라고 하듯이 빈번히 사용되는 글귀에 따라 예로부터 충실한 약속이 있었으니까 가능했던 것인데 쓰임이 빈번하지 않는 방언은 여태까지도 이두로 기록하지를 못하였소. 앞으로 방언까지도 쉽게 기록할 문자를 만들어야 할 것인데 그렇기 위해서는 소리를 있는 그대로 적는 음문자가 사용되어야 할 것이오. 제주의 방언이든 여진인의 말씀이든 소리그대로 적을 수만 있다면 모두 기록이 가능할 것이 아니겠소.

왕이 특별히 의견을 묻지 않으니 신미는 합장자세로 잠시 침묵하고 있었다. 신미의 생각에도 지당하기에 특별히 더해줄 말씀은 없었다. 보통의 신하 같으면 틈이 생길 때마다 왕을 칭찬하는 언사를 더하여 신임을 더하고자 해야 하겠지만 신미에게는 왕의 뜻이 옳게 시행되는 것 말고는 다른 관심이 없었다.

왕은 잠시 방금 내가 무슨 이야기했더라 하고 머뭇거리는듯하다가 다시 발언을 계속했다.

- 저들을 포용함은 우리의 자비로 선택하는 일이 아니오. 이미 대국에서도 거란과 몽고를 포용하지 못해 그들과 전란이 계속되다가 나중에는 재물을 지원하면서까지 강화(講和)를 맺었지만 결국에는 그들이 강성(强盛)해지면서 천하가 그들의 손에 넘어간 바가 있소. 앞으로 한이(漢夷)가 공존할 문화의 토대를 마련한다면 서로의 대립은 잦아들 것이오.

왕은 두 집단이 있을 때 싸움을 거쳐 어느 한쪽이 지배하게 되는 것은 조화를 이루지 못한 것이니 훗날 반드시 뒤집히리란 것을 불교의 가르침 그대로 인식했다. 바탕문화가 다르기 때문에 중화니 오랑캐니 하는 집단의 구분이 생기는 것이라면 서로 다른 집단끼리 공유할 문화기반을 만들면 두 집단은 공존할 것이었다. 당시의 명나라에서도 백년만에 몽고족을 물리친 승리에만 도취되지 않고 북방유목민족과의 공존문화개발에 힘썼다면 훗날 역시 북방유목민족인 만주족의 청나라에 의해 다시 점령당하는 소모적인 역사반복은 있지 않았을 것이었다.

결심이 선 듯 왕은 다시 말을 이었다.

- 돌이켜보면 우리 선조의 고구려와 발해가 광활한 북쪽 땅을 다스리면서 한 때 삶을 지도해주었던 백성인데 이후 저들을 방기(放棄)하고 말았으니 중화의 지식을 갖지 못한 저들의 생활은 천년전만도 못한 것이었소. 이제서라도 저들을 온전히 거두어 문명의 덕을 보아 함께 살도록 하려면 저들과 우리가 함께 통할 음문자를 만들어 서로 통하고 중화의 지식도 저들에게 교육함이 옳겠소.

- 지극한 성은에 부처님도 감동하시리라 합니다.

의기투합한 두 사람은 새로이 구성된 민족구성원이 서로 통하는 글자를 창제하는 과업을 세웠다. 사람의 발성을 자음과 모음으로 나누어 조합하는 것은 두 사람 각자 이미 터득한 음문자의 구조형태이기에 계획은 쉽게 구체화 되었다.

신미는 세종이 제안한 자모음조합의 제자(製字) 규칙에 범어의 자음과 모음을 참고하며 연구했다.

문수보살이 내린 지혜

범어와 같은 종류의 소리글자를 만든다고 하였지만 이 나라는 이천년 가까이 중화문화의 국가였다. 일상의 말씀이 아닌 학문적 담론은 한문으로만 통용했다. 집현전 학사의 다수는 범어에는 숙달하지 않은 유학자였다.

새 음문자 창제의 계획은 비밀이 해제되었다. 아직은 목소리가 많지 않지만 국가적 대사에 관련한 갑론을박은 이미 자라나고 있었다.

- 스님은 범어와 같은 음문자로 우리의 말씀을 그대로 표기하는 방책을 연구 중이시라는데 범어경전이 한문번역본보다 본래의 오묘한 참뜻을 깨우치기에 긴요하다면 나라 곳곳에 범어학당을 세워 범어를 가르치는 것이 옳지 않습니까.

집현전 학사 신숙주가 물었다. 신미는 늘 생각해왔던 취지이므로 얼른 대답했다.

- 학사님의 생각을 이해합니다. 부처님이 말씀하신 당시 중생에게 전해지던 그대로 불경이 우리 백성에게 전해지면 좋겠으나 번역이란 본디 완전하지 않아서 우리 중화문화의 인식이 더해진 한문본이 승려에게 전달되고 다시 그 승려의 주관이 더해서 백성에게 전달되는 형편입니다. 그러나 우리 모두가 범어를 공부한다 한들 당시 부처님의 설법을 듣던 제자와 백성들과는 어차피 다른 지역과 시대 속에 살고 있어서 사고방식이 다르니 과연 완전히 원래의 설법을 그 느낌 그대로 받았다고 할 수 있을까요. 오히려 시대와 지역을 바꿔 다른 말씀으로 설법함도 행하는 자는 승려들이지만 모두가 부처님의 가호아래 행하는 것이니 부처님의 말씀이라 아니 못하며 어쩌면 오히려 시대와 지역에 따라 더 적합하게 설법을 시키심이기도 합니다.

- 그러시면 굳이 범어와 유사한 문자를 만들어 佛法을 전하려 애쓸 필요는 없는 것이 아니겠습니까.

- 상(上)께서 내리신 명(命)의 본뜻은 우리의 일상말씀이 한문과 달라 백성이 한문경전을 읽지 못하니 백성 누구나 부처님의 말씀을 글로 읽을 수 있도록 일상말씀 그대로 기록하는 언문(諺文)을 만드는 것입니다. 한문보다도 아는 이가 없는 범어를 우리 백성이 알자는 것은 아니고 백성 누구나 부처님의 설법을 우리 말씀으로 읽도록 하자

는 것입니다.

- 소리를 따라 문자를 만드는 것은 몽고에서도 있는 일이고 왜에서도 있는 일이니 새로운 것은 아니겠소만 우리는 이천년 중화의 나라이니 오랑캐들의 글자처럼 되어서는 안 되고 우리의 학문을 기록하는 데에도 불편이 없어야 할 것입니다.

신숙주가 제안하자 신미도 수긍했다.

- 지난 시절의 학문성과를 계승해야 함은 소승도 깊이 염두에 두는 바입니다.

- 그러니 새로운 글자를 만든다 해도 우리 중화의 진서(眞書)와 공존할 것이 되어야 하겠습니다.

한자와 자국문자의 공용은 이미 왜국에서 사용하고 있는 것이었다. 한자와 어울리는 모양의 글자를 만들어야 한다는 것이 신숙주의 생각이고 집현전 내에서 문자창제를 반대하지 않는 유학자들의 요구였다.

이 나라를 함께 이끌며 백성을 위해 일하는 동료로서 유학자들과 화합해야 한다고 생각한 신미는 그들의 뜻에 따르기로 했다.

한자가 각각의 뜻이 있는 부수를 조합하여 글자를 만들어내듯이 각각의 소리기호를 합쳐서 글자를 만들어내는 방식이면 적합할 것이다.

백성이 절간에서 스님의 설법을 듣듯이 아무 곳에서나 일상의 언어로 부처님의 가르침을 받게 하는 방도는 소리를 그대로 기록하는 문자를 만드는 것이다. 한자발음의 틀을 벗어난 언어라도 자유로이 표기할 글자가 있어야 한다.

소리를 표기하는 원리는 범어를 표기한 실담자(悉曇字)에서 따오면 되었다. 자음과 모음으로 분류하여 음소글자를 만들고 이들을 합해서 일상적인 발음을 표시하면 될 것이다. 그런데 구체적인 발상은 쉽사리 떠오르지 않았다.

숙소에 온 신미는 합장하고 기도했다. 자신에게 새로운 글자를 만들 큰 지혜를 주십사하는 간절한 기원이었다. 지혜를 달라고 부처님께 빌었다.

응답은 지혜를 주는 문수보살(文殊菩薩)에게서 왔다.

문수의 범어는 만주슈리로서 만주는 오묘하며 훌륭함이고 슈리는 복덕 많고 길상(吉祥)함이니 만주슈리는 지혜의 보살이다.

중화에서의 이름은 문수(文殊)인데 수(殊)는 달라짐이고 특수(特殊)하다라는 말이 있듯 기존의 상태가 변화함이다. 인간존재의 차원을 달리함도 되니 죽음이나 죽임의 뜻도 된다. 새로운 글을 창조하는 일에 있어서는 글(文)을 새로이(殊)한다는 중화에서의 이름이 주효하여 문수보살의 은혜가 내리도록 되었다.

신미에게 응답한 문수보살은 신미 그리고 수양대군을 비롯한 왕가 사람들의 영륜(靈倫)을 관할 하에 두고 이들의 신명을 직접 치리(治

理)하며 이들이 지상에 태어났을 때에는 심혼(心魂)의 기도에 응답하여 천명에 맞는 행실을 유도한다. 본래의 문수보살의 영험이 여기까지 미쳤음인지 아니면 문수보살이 하나의 일반명사로서 그저 지혜를 주는 중간 신을 지칭하면 되는 것인지 여기서 해명할 수는 없다. 다만 신미와 왕가사람들의 기도의 응답은 문수보살을 자처하는 신령으로부터 왔던 것이다.

한자의 부수(部首)는 소리에 따른 것이 아니다. 그래서 한자로 소리언어를 기록하면 의도하지 않았던 의미가 따라오게 되어 주술(呪術)효과를 일으킨다. 물론 표기하는 한자의 뜻이 좋은 뜻이면 좋은 영향을 주겠지만 그런 것이 모든 경우에 좋게만 적용된다고 기대하기는 어려운 일이다. 조시라고하며 여인을 부르는 말을 召史라고 음역하여 표기했는데 글자의 뜻으로 보면 女史라는 높임말의 女대신에 부른다는 召(소)자를 넣은 것이다. 여사와 비슷한 좋은 말이 될 수도 있으나 부르는 사람이 누구인가 경우에 따라서 좋은 뜻이 될 수도 있고 나쁜 뜻이 될 수도 있다. 소리를 기록하는 더 좋은 방법은 소리의 규칙을 따라 기록하되 형태에 따른 주술적 영향은 최소화하는 것이다.

글자의 모양은 되도록 단순하게 만들어야 순수한 소리글자가 되고 주술과 부적의 의미가 생기지 않는다. 이제까지 써온 이두는 의사표현을 기록할 때 불필요한 잡신이 끼어들 여지가 많았는데 새로이 만드는 우리의 소리글자는 순수한 천지인의 우주조화 속에서 통용되는 문자이어야 한다.

- 세상을 이루는 삼요소인 天地人을 상징하는 기호로 만들라.

문수보살로부터 내려진 계시였다.

하늘은 존재의 근원을 상징하는 점(・)으로 땅은 지면을 나타내는 수평선(—) 그리고 사람은 지상에 서 있는 수직선(|)의 모습으로 형상화된다.

하늘의 존재의 근원인 神이 지상의 물질인 肉에 깃들어 사람으로 生化한다.

우주의 조화의 원칙인 理의 분포가 지상의 물질인 氣가 응축된 사람의 몸에 집중하여 魂이 작용한다.

우주와 인간의 존재 양식 그 자체를 따라 기호를 만드니 잡신이 끼어들 여지가 없는 것이었다.

그 다음부터는 신미의 마음속에 일어나는 영감(靈感)이 지시하는 대로 따르면 되었다.

천지인은 세상을 이루는 성분이다. 인간은 한 우주이고 존재는 소리를 통해 자기를 알린다.

인간이 우주 삼라만상 존재의 각 현상을 느끼고 천상에서 내려온 오묘한 조화에 감탄할 때에 나오는 소리를 天을 뜻하는 •로 표시했다.

인간이 존재의 피로를 휴식하고 지상과의 일체를 원하여 활력이 가장 저조되어 있을 때 나오는 소리를 地를 뜻하는 ㅡ로 표시했다.

인간이 세상사에 열중하여 물건이나 사람에 관심을 두고 있을 때 나오는 소리를 人을 뜻하는 ㅣ로 표시했다. 이 이(伊) 저 이니 하고 순이니 돌이니 하는 것이 다 사람을 가리키는 ㅣ에 따르는 것이었다.

이 세 가지가 인간의 몸을 통해 울리는 소리의 원소이니 사람의 모든 외침은 이 세 가지 소리로써 이루어진 것이다. 이것이 모음이다.

여기에 혀의 움직임에 따른 마찰음이 더해져 사람의 다양한 말소리가 만들어지는데 이것이 자음이다. 자음의 모양은 왕이 먼저 구상한 대로 발음할 때의 혀 모양을 따라 만들기로 했다.

이렇게 제자(製字)의 원칙은 만들어졌는데 구체적으로 실현을 시키는 단계에서는 반드시 혼자 해야 할 이유가 없다. 그것이 문수보살의 지시였다.

실제로 글자를 어떻게 만드는가 하는 문제에 관해서는 집현전 학사들과 의논하는 자리에서 정하기로 하고 신미는 침소에 들었다. 반드시 그들의 힘이 필요해서가 아니라 집현전은 나라의 학문연구의 중심이니 그곳과 그곳의 학자들을 존중해야 이 나라의 운영이 원만해질 것이기 때문이었다.

집현전에 머무르는 학자들을 관리하는 도감(都監)으로 왕은 수양을 임명한 바 있었다. 집현전은 신미와 수양 두 사람의 쌍관(雙關)되는 인연이 실제로 구현되는 장소가 되었다.

아침에 신미는 집현전 전각에 들어서 수양을 만나기를 청했다. 수양은 집현전 가까운 바로 옆에 주거를 마련해두고 있어서 아침 일찍 누구보다 먼저 출근해 있었다.

- 대군마마 불경을 일반백성이 읽고 배울 수 있도록 범서(梵書)와 같은 소리글자를 만들고자 합니다.

수양은 불교신자이니 말을 꺼내기 쉬웠다. 조선이 비록 유교국가를 표방했다 하더라도 백성의 불만을 완화하고 양반세력을 견제하기에는 불교의 융성이 필요함을 수양은 이해하고 있었다. 새로운 음문자의 창제계획은 수양도 이미 알고 있는 것이지만 정식으로 집현전과 함께 한다는 의사표시였다.

- 집현전의 유학자들과 상의하십시오. 우리 백성이 진리를 찾지 못해 고통 받지 않도록 대사님께서 힘써주시기 바랍니다.

수양은 신미를 마주할 때마다 묘한 느낌을 받았다. 자신은 분명 현생에 왕가의 사람으로 태어나 뭇사람으로부터 주목을 받고 있는 입장이다. 그런데 신미의 앞에서는 마치 자신이 신하 혹은 백성의 입장에 있고 신미가 왕의 자리에 있는 것 같은 느낌이 밀려오는 것이었다. 오래된 전생의 기억일 수도 있지만 그보다는 신미에게서 오는 영성적 감응이었다. 출생 이전 신명계에서 신미는 어떤 지위였을까. 현생에서 수양이 높은 지위에 있지만 신미에게서는 범접 못할 위엄이 느껴온다. 물론 수양 앞에서 신미의 자세는 지극히 공손하고 겸손함에도 그리하다. 어릴 적 부왕으로부터의... 그리고 어렴풋한 기억의 조부왕(祖父王)을 볼 때의 그런 권위가 느껴지면서 다만 인자함이 더해진 것이었다.

덕망과 지혜가 뛰어나다 못해 온화하고 자비로운 王者의 풍모가 있는 그런 사람이 있어 만약 속세의 사람이었다면 그 사람이 어떤 정치성 있는 행위를 하지 않았더라도 왕족과 신하 등 나라의 왕통(王統)을 수호하려는 자들로부터 은연중에 경계의 대상이 되고 말 것이며 반드시 어떤 구실을 붙여 위해(危害)하고자 할 것이다. 그러나 신미는 한 겹 회색의 승복 속에 거룩한 현신(現身)을 감추고 있기에 속세를 지배하는 권력의 체계에 열외(列外)할 수 있어 조용히 소명을 다하는 길에 매진할 수 있었다.

신미는 여러 집현전 유학자들과 대화했다. 자신도 유학을 알고 있으니 유생의 입장에서 말을 걸고 계획한 바를 상의했다.

- 우리 삼한의 나라는 예로부터 군자국(君子國)을 추구하지 않았습니까. 신라시대에는 실제로 당나라에서 그렇게 불리기도 하고... 조선의 건국도 백성 모두가 군자가 되는 나라를 만들기 위함입니다. 백성이 군자가 되려면 모두가 공부를 해야 합니다. 그런데 지금 우리나라에서 공부를 하려면 우리의 말씀 그대로 하지를 못하고 한문을 배워야 합니다. 우리가 직접 백성을 만나 말로 가르치듯이 일상말을 그

대로 적어두는 글자를 만듭시다. 그러한 글로 책을 인쇄하여 백성에게 배포하면 한문을 배우지 않은 백성에게도 군자의 도를 전파할 것입니다.

- 한문을 배우지 않고 어떻게 군자의 도를 배운단 말이오.

- 학사님들도 강론할 때 한문만 그대로 말씀하시지는 않지 않습니까. 가르칠 때 하는 말을 언문으로 쓰고 본래의 글귀는 진서로 쓰면 됩니다.

- 언문을 만든다고 과연 백성들이 군자의 도를 공부할까...

유학자들 다수는 일상어를 표기하려면 이두가 있는데 뭣 하러 언문을 만드느냐고 했다.

신미는 이미 동의가 되어 있는 동생 김수온 외에도 집현전학사 한 사람 한 사람을 설득하면서 젊은 학자 신숙주(申叔舟)와 김문(金汶)을 포섭했다.

신숙주는 뛰어난 유학자이면서도 사고방식에 유연성이 있었다.

- 부수찬(副修撰)께서는 諸國語에 능하시니 제조에 많은 지도를 바랍니다.

- 대사께서 거의 구상하시었다고 들었소. 소인은 왜에 출장을 갈 것이니 보탬이 많이 될지는 모르겠소이다.

- 왜국의 말씀적기를 많이 접하실 것이오니 부수찬의 견문은 소용이 크게 될 것입니다.

여러 언어에 통달한 숙주이지만 곧 일본에 출장을 가니 함께 연구를 하기는 어려웠다. 가끔 국내 방문할 때 자문을 구할 정도의 참여라 해도 신미는 숙주를 언문창제의 연구자로 이름을 올렸다. 신미는 언문창제의 주력기관을 집현전으로 해두어야 할 필요가 있었고 숙주는 언문창제의 대의에 동의했으니 참여하는 정도보다도 자신의 공로를 높여주는 것을 거절할 필요는 없었다.

김문은 무당인 어머니의 사당(祠堂)에서 자라나며 어려서부터 진진하게 학문을 공부하여 과거에 급제하여 천한신분임에도 집현전 직제학이 되었다. 왕은 물상학(物象學)에 기생의 아들 장영실(蔣英實)을 등용했듯이 적어도 백성을 위한 학술연구에 있어서는 출신에 무관하게 최고의 인재를 등용해야 한다는 신념을 가졌다.

- 언문을 창제하신다고요. 좋은 계획이십니다.

- 예. 상감마마의 뜻이십니다.

김문이 다른 유학자들과는 달리 언문창제의 계획에 흔쾌히 찬동한 것은 그것이 어명에 부합하는 것이니 처신에 용이해서가 아니라 언문이 창제되면 사당에서 제신(諸神)을 부르며 행하는 온갖 주술행위도 기록이 가능하게 될 것이고 그에 따라 무당의 일도 정확하고 원활하게 전수될 것이며 이로 인한 무당들의 제사법의 발전은 어머니와 같은 무당계층에게 힘을 더해줄 것이며 종국에는 지금 유학정신일변도로 가고 있는 삼한의 민족신 형성방향에 이 땅의 전통신의 영향력이 더해져 변화를 줄 것으로 기대되어서였다.

김문은 이미 뛰어난 능력으로 학술서들을 편찬하여 왕에게 칭찬을 받은 바 있다. 김문의 업적으로 국익에 보탬이 더함은 물론 신분을 가리지 않고 능력자를 등용한다는 왕의 덕목도 빛나게 해주어 마침 군신간 호혜의 관계가 절정일 시기인데 이제 상감의 언문창제의 뜻도 호응하니 김문의 앞길은 탄탄대로가 열려보였다.

- 그러면 진서와 어울리는 모양으로 만드시겠단 말씀입니까.

- 예. 언문을 만든다는 것은 진서에 의한 학문을 대신하겠다는 것이 아니라 진서를 우리의 언어에서 쉽게 백성에게 전달하여 백성도 학문을 배우게 하는데 있습니다. 그러니 진서와의 어울림은 중요한 조건일 것입니다.

신미는 김문과 동생 수온 셋이서 앉은 자리에서 붓으로 자신이 고안한 •ㅡㅣ의 세 자소모음(字素母音) 그리고 자음의 일부를 그려 보이였다.

- 이들을 조합해 글자를 만들 것을 생각하고 있습니다.

- 그러면 진서와 같이 모음을 우부방이나 하부방으로 하고 자음을 넣읍시다.

김문의 제안은 옳은 제안이었다. 한자와 어울리게 구성한다고 해도 모음을 좌부방이나 갓머리식으로 할 수는 없다. 한자의 획(劃)은 늘 왼쪽에서 오른쪽으로 위에서 아래로 긋는데 소리는 자음을 먼저

내고 모음을 나중에 내는 것이니 모음은 아래쪽이나 오른쪽에 있어야 한다.

이제 자음의 모양을 상감의 뜻에 따라 신미가 고안한 것을 보이며 협의하면서 정하기로 했다.

- 혀가 입천장에 닿는 모습을 따라 ㄱ.

- 혀가 윗니에 닿는 모습을 따라 ㄴ.

- 혀가 앞으로 왔다가는 모습을 따라 ㄷ.

- 혀가 구르는 새 을(乙)자의 모습을 따라 ㄹ.

- 입이 울리는 소리이니 입 구(口)자를 따라 ㅁ.

- 입이 터지는 소리이니 입에서 바람이 솟아나는 것을 본떠 ㅂ.

- 이빨사이의 소리이니 이 치(齒)자의 이빨모양을 따라 ㅅ.

그 다음은 혀의 모양은 같으나 ㅁ에서 ㅂ으로 가듯이 바람이 추가되는 소리를 표시할 차례였다. 이를 위해서는 각 글자에 획을 추가했다.

- ㄱ에 바람이 더하면 ㅋ.

- ㄷ에 바람이 더하면 ㅌ.

- ㅂ에 바람이 더하면 ㅍ.

신미가 ㅁ이 양쪽의 획을 올려 ㅂ이 되는 것처럼 ㅂ의 아래쪽에도 획을 내리는 글자를 써보이자 김문이

- 옆으로 돌리는 게 보기 좋겠군요.

하니

- 맞습니다.

신미도 동의하여 ㅍ의 모양이 되었다.

ㅅ는 본래 바람소리인데 여기다 ㅁ과 같은 울림을 더하면 ㅁ처럼 관(管)의 단면 같은 폐쇄도형 모양으로 △이 되게 했다.

그리고 ㄴ 이 ㄷ이 될 때처럼 입천장에 닿는 것은 위에 획을 더했는데 ㅅ이 입천장에 닿는 소리도 위에 획을 더해 ㅈ으로 했다.

다시 ㅈ에 바람이 더해지면 획을 더 추가해 ㅊ이 되었다.

그리고 자음이 없이도 말소리는 나온다. 자음이 없는 부분은 ㅇ으로 했다. 여기에 바람이 들어가면 ㅎ가 되었다.

기본모음을 조합해서 여러 모음을 만들 차례였다.

地와 人은 보이는 존재이다. 여기에 보이지 않는 존재인 天이 어떻게 개입하느냐로 사물(地)과 사람(人)의 성격이 결정된다.

- 사람이나 땅에 하늘의 기운이 오른쪽이나 위로 오면 양성 왼쪽이나 아래로 오면 음성으로 합시다.

- 地위에 天이 있으면 陽母音 ㅗ.

- 地아래 天이 있으면 陰母音 ㅜ.

- 人 오른쪽에 天이 있으면 陽母音 ㅏ.

- 人 왼쪽에 天이 있으면 陰母音 ㅓ.

ㅏ ㅗ 는 양성(陽性) ㅓ ㅜ는 음성(陰性)이다. 마음이 맑을 때는 양

성모음을 발음하려 하고 마음이 탁할 때는 음성모음을 발음하려 한다.

- 양모음은 지상의 일을 긍적적으로 보면서 주어진 환경에서 노력하는 자들이 발음하기를 즐겨할 것인데 음모음은 지상의 일을 부정적으로 보면서 세상의 체제를 바꾸려는 자들이 즐겨 발음할 것이니 훗날 사회에 불만을 품을 저항세력은 되도록 이런 발음을 선호하게 될 것입니다.

신미는 나라글자의 반포가 다양한 성향의 민중을 하나로 아우르는 효과를 얻을 것이라는 뜻으로 이런 말을 했다.

- 그런 자들을 위해서 글자를 만들 필요까지는 없지 않을까요. 수온이 의문을 제기했다.

- 어느 나라 어느 시대이건 그런 중생은 있게 마련이지. 전생에서 겪은 삶과 금생에서 겪는 삶이 갑자기 달라져 세상이 자기의 영혼성향과 맞지 않으니 자기의 원하는 대로 세상이 바뀌기를 바라겠지. 그런 중생들에게도 자기의 억눌린 감정을 실어 내보낼 글자가 있으면 물상의 충돌을 막는데 소용될 것이네.

그리고 한자발음에 많은 야 여 요 우 등의 발음의 표기가 문제가 되었다. 본래 중국어에는 자음이면서도 이빨사이로 바람 새는 소리가 많아 이것을 들으면 ㅅ ㅈ ㅊ 비슷한 발음이라도 그대로 시 지 치 식으로 들리는 것이었다. 여기에 사 자 차 처럼 ㅏ 모음이 더해지면

샤 쟈 챠 처럼 들리는 것이었다.

- 이것은 ㅣ 모음이 앞에 있고 다음에 ㅏ 가 붙은 복모음이라서 자소(字素)가 될 수가 없으니 ㅣㅏ 식으로 합해서 표시합시다.

신미는 글자창제의 원칙에 충실하고자 단모음만을 자소글자로 정하려고 했다.

그러나 한문책을 읽는 발음을 기준으로 하여 음문자를 만들고 있으니 ㅣ 가 들어간 모음이 빈번했다. 물론 조선백성 다수와 양반의 일상에서는 우리가 편한 발음으로 순화하여 사용하고 있었지만 공식적으로는 중국의 원음에 가깝게 발음해야 올바른 것으로 인식되고 있었다. '중국'이라고 발음하는 것이 우리국민에게는 쉽고 편안하지만 '듕귁'이라고 원음에 가깝게 발음해야 맞는 것으로 인식되는 것 등이었다. '백성'도 'ᄇᆡᆨ셩'이어야 하는 등 모음에 ㅣ가 들어가야 할 경우는 매우 많았다.

- ㅣ 발음은 진서를 읽을 때 대국식(大國式)으로 바르게 읽으려면 빈번히 사용되는데 그 때마다 두 모음을 함께 표기하는 건 번거롭습니다. 그러니 ㅣㅏ로 표기하지 말고 한 글자에 만듭시다. ㅣㅏ는 ㅑ로 하고 ㅣㅓ는 ㅕ로 하고 ㅣㅗ는 ㅛ로 하고 ㅣㅜ는 ㅠ로 합시다.

김문은 주장했다.

복모음을 자소글자로 한다는 것은 문자조합의 체계성으로 보면 불합리한 것이지만 중국식으로 한문을 읽을 때 자주 나오는 복모음을

ㅑ ㅕ ㅛ ㅠ로 간략히 표기한다는 것은 편리한 것이었기에 신미는 동의했다.

- 진서의 제자원리를 본떠서 마치 부수를 모으듯이 자음과 모음을 조합하여 만들면 진서와 함께 써도 잘 어울립니다.

신미 수온 그리고 문(汶)은 한문책의 발음을 글자로 표기해보기도 하고 지금의 대화를 그대로 기록하기도 하며 시험했다.

창제초안은 왕에게 보고되었다. 왕도 역시 한문책의 독음을 적어보고 일상의 대화를 그대로 받아 적으며 시험했다. 해인사의 장경 인쇄본을 보면서 현토(懸吐)와 번역을 하여 시험해보았다.

이렇게 새 글자는 범어를 표기하는 실담자와 같은 음문자이면서도 한자와 같이 상하와 측면에 글의 부수를 더해 조합하는 방식으로 만들어졌다.

오년 후 숙주가 일본출장을 마치고 돌아올 때에 글자는 거의 완성되었다. 돌아온 숙주는 일본에서는 이미 그들의 언문이 통용되는 사정을 자세히 설명하고 나라에서 언문이 통용되었을 때의 장단점을 신미의 연구진들과 토의했다. 백성 누구나 오랜 학습기간을 거치지 않고도 문서로 의사소통을 한다는 것이 언문통용에 따른 장점이었다. 단점이면 학문연구를 위해서는 본래의 한문을 사용하는 것이 정석인데 이보다 쉬운 언문문서를 사용하다보면 학문연구를 덜할 가능성이 있다는 우려인데 이것은 언문의 문서라고해도 중요단어는 한자 그대로 사용하는 것으로 극복 가능한 것이었다. 본래의 한문문장으로 학습하더라도 언문글자로 현토(懸吐)하여 우리말을 하듯이 읽어나가면 훨씬 쉽고 유창(流暢)해지는 것이었다. 숙주는 자신도 함께 언문의 시험적인 응용을 해보기로 했다.

부류천성론(部類天性論)

최만리(崔萬理) 성삼문(成三問) 박팽년(朴彭年)은 정음발표의 계획을 들었다.

- 상감께서 새로 만드신 글자는 어떤 목적인 것이오. 우리는 이미 이천년의 문자문화를 가진 문화국가인데 무엇을 다시 만드신다는 말씀인가요.

집현전부제학인 최만리는 이미 창제작업에 함께했다는 신숙주와 가까운 성삼문과 박팽년에게 물었다.

- 백성이 자기의 뜻을 기록할 수 있도록 말하는 소리 그대로를 적는 글자라고 합니다.

삼문이 답했다.

- 천지인의 조화를 모아 만드는 것으로서 기존의 이두와는 다른 것이라고 합니다.

팽년이 답했다.

- 숙주 학사와 함께 이 문제를 논의합시다.

세 사람은 다른 방에서 연구를 하고 있던 숙주의 연구실로 갔다.

- 행수(行首)나리 저를 부르시면 되지 어찌 이리로 오십니까.

숙주는 일어서 최만리 일행을 맞이했다. 그의 책상 옆에는 시험 삼아 새 글자를 응용하여 필기해본 종이가 쌓여 있었다.

- 숙주의 연구는 어떤 방침에 따라 있는 것입니까.

- 백성 누구라도 기록으로 서로 소통할 방도를 연구하라는 전하의 교지(敎旨)를 따른 것입니다.

- 그 교지는 우리가 이미 실천의 방안을 강구하고 있던 것이오만… 어찌 이렇게 혁명과 같은 변화를 일으키려들 하시는지요.

- 소인도 새 글자를 만들자는 생각은 못했습니다만 학승 신미가 상감마마의 특명을 받고 새 글자를 만들면서 집현전의 학사들과 공을 나누자고 하여서 김수온 학사와 함께 새 글자에 관한 연구를 하면서 소인의 생각을 더한 것입니다.

집현전의 유학자이지만 개인적으로 불교신자인 숙주는 집현전의 학승 신미와 그 동생 수온과 가까웠으니 일찍부터 뜻을 함께한 것이었다.

- 이두를 백성에게 더 널리 보급함이 방안이 되지 않겠소.

만리는 그런 사실을 이제껏 모르고 있었던 것이 한심스러웠다.

- 이두는 한자를 응용한 것인데 신국(新國) 조선에는 여진과 왜의 백성이 많이들 귀순해 옵니다. 여진인은 한자를 알지 못하고 왜인은 저네 식대로 한자를 알기 때문에 우리말의 음과 훈을 뒤섞은 이두를 보면 매우 혼란스러워합니다. 그네들을 모두 통합하려면 말하는 소리 그 자체를 표기하는 글자가 있어야 하리라고 상감께서는 생각하십니다.

- 허…

만리는 숙주의 행위를 탓할 수 없었다. 옆에 있는 성삼문 박팽년에게 물었다.

- 전하의 뜻을 살리되 백성을 군자에 가까워지도록 가르치는 것은 우리의 일이오. 급격하여 부작용이 있는 방향을 피하고 순리에 따른 길을 가도록 전하께 아뢸 것이니 그대들도 뜻이 같이 할 수 있겠소이까.

- 그러하옵니다.

삼문과 팽년은 답했다.

만리 등은 왕을 알현하고 주청(奏請)했다.

- 전하, 언문은 우리의 말씀을 있는 그대로 받아 적는 것이라 하니 만약 그러한 것이 있다면 진실로 편하게 사용될 것입니다. 허나 앞으

로 언문이 통용되고 일상화되어서 언문으로 사무를 보게 되면 그 누가 학문(學問)을 하겠습니까.

만리가 말하는 학문이란 현대에서와 같이 다양하게 분화된 지식 중의 어느 전문분야를 말하는 것이 아니라 인생과 세계에 대한 통찰적인 철학이었다. 즉 불교와 유교의 종교적 지식과도 같은 것이었다.

- 학문을 하지 않게 하는 것이 아니라 지금 학문을 배우지 못하는 백성들도 글자로 자기의 뜻을 적어둘 수 있도록 하여 송사와 같은 일에서 억울함이 없도록 하기 위함이오.

왕은 답했으나 만리는 뜻을 굽히지 않았다.

- 백성이 꼭 자기의 생각을 글로 적어두고자 하면 삼한에서는 신라시대부터 이두로써 우리의 언어를 기록해왔습니다. 오랫동안 사용해왔고 익숙한 방식이 있는데 굳이 새 문자를 만들어야 하겠습니까.

- 경들도 겪어봤겠지만 천자문과 소학을 뗀 어린 아이들도 저들이 하는 일상의 말을 이두로 기록하지는 못하오. 정의공주에게 이두를 연구해보라 한바 있는데 공주가 말하길 이두의 기록체계는 음과 훈이 뒤섞여 있는 것이 한문보다 어렵다는 것이오.

- 공주마마의 말씀의 뜻은 알겠사옵니다만 어찌 이두가 한문보다 어렵겠습니까.

만리가 생각하는 한문은 성리학의 이론을 포함하는 것이지만 정의

공주는 천자문과 소학 등의 한문을 해석하는 것보다 이두로 쓴 일상어를 해석하는 것이 더 복잡하고 난해하다는 것이니 각자의 주장이 일리가 있었다.

- 어렵다는 것이 그만큼의 심오한 진리를 깨치는데 소용되는 것이라면 감수할 것이오만 논리의 일관성과 체계성이 없이 경우에 따라 일일이 기억해야 하는 그런 어려움은 덜어내야 하는 것이 아니겠소. 사물을 가리키는 자구(字句)를 그 자체로 적어두어도 될 것을 불필요한 의미를 많이 부가하는 것도 어려움을 가중시키오. 구름을 雲音이라고 하고 마음을 魔陰이라고 하는 것은 간단한 字句를 어렵게 만드는 것이외다.

- 신(臣)이 이두를 더 쉽게 개량해서 보급코자 하겠습니다.

- 경의 뜻과 역량은 의심할 바가 없소. 그런데 조선에 귀순해오는 여진과 왜의 사람들을 통합하려면 소리 그 자체를 기록하는 언어가 필요하오. 여진인과 왜인이라도 쉽게 배울 수 있는 글자가 소용되오.

- 백성의 문자생활을 편안케 하시려는 전하의 뜻은 알겠사오나 그러한 문자생활은 송사의 기록이나 일상사를 적은 편지에나 소용될 뿐인데 이러한 언문으로 사무를 보게 된다면 학문을 배워 군자의 도를 따르려는 사람이 줄어들어 공인(公人)의 지위에 있는 자들이 사익을 추구하는 일이 많아질까 염려되옵니다.

- 걱정할 필요 없소. 조선은 앞으로 한문으로 성리학을 익힌 자만

을 관리로 등용할 것이오.

왕은 만리의 주청을 거절하면서도 앞으로 언문을 창제하여 반포(頒布)하여도 학문을 배우지 않은 자가 관리가 되는 일은 없도록 하겠다는 약속을 했다. 왕의 입장에서는 주청을 그대로는 들어주지 않았지만 제기한 문제점은 해결해주기로 약속한 것이니 들어주었다고 생각할 만했다.

- 부제학의 건의는 해결되었으니 이만 물러가시오.

만리는 일단 절하고 물러났으나 그의 입장에서는 해결된 것이 아니었다.

왕은 백성이 나날이 사용하기 편안한 글자를 만들어 송사와 같이 기록이 필요할 때 백성이 자기의 생각을 글로 기록할 수단을 만들어 억울함이 없게 한다고 한다. 물론 지금도 이두로 일상의 말씀을 기록할 수 있기는 한데 백성이 자기의 말씀을 기록하려면 대서방(代書房)에 비싼 요금을 내야 하든가 이웃의 이두를 아는 사람에게 절박하고 아쉬운 부탁을 해야 한다. 그래서 누구나 하루내지 며칠 안에 익힐 쉬운 글로 일상의 필요한 기록을 가능케 한다는 것이다.

왕도 어려운 것이 심오한 진리를 깨치기 위함이라면 용납되는 것이라 했다. 그렇다면 쉬움에 머무르면서 진리를 깨쳐가는 것은 가능할 것인가.

조선은 백성 모두의 군자됨을 목표로 하는 나라이다. 비록 나날이

하는 일이 농사를 짓고 가축을 치고 담봇짐을 나르며 굳이 학문을 하며 살아야 할 필요가 없는 백성이라 해도 간혹 사정이 생기면 글을 알아야 올바른 대접을 받는다는 인식이 있으면 누구라도 틈틈이 글자를 익힐 것이다. 그래서 비록 아주 편하지는 않더라도 이두를 통해 자기생각을 기록하고 그 과정에서 한자를 익히면 한문으로 된 성현의 말씀도 접할 길이 열리는 것이다.

그런데 만약 한자와는 별개의 쉬운 글자만으로 일상에 필요한 문서기록이 해결된다면 백성은 한자를 배울 필요가 없어 학문을 하지 않을 것이고 그런 백성은 현생의 상민으로서의 생활이 영적발전을 위하여 헛된 것은 물론이고 훗날 현재의 간난(艱難)의 업(業)을 보상(報償)받아 높은 신분으로 태어난다고 해도 학문적 자질이 결여된 영혼으로서 제 소명을 다하지 못할 것이다. 백성이 당장의 삶에 필요하지는 않더라도 학문을 향한 길은 항상 열려있어야 하고 목자(牧者)는 항상 그길로 백성을 인도해야 한다는 것이 만리의 생각인데 왕의 계획은 이 나라가 군자국으로 향하는 것에 보탬이 될지 도무지 염려가 떨어지지 않았다.

신미가 이 상황의 전언을 듣고 집현전에 출석했다. 신미는 만리에게 정음창제의 협조를 부탁했다.

- 행수님 조선의 백성이 모두 군자의 도를 배워 백성모두가 군자가 되는 나라를 만들고자 하는 것이 조선건국 때부터의 모든 선비들

의 지향이었고 행수님이 마음 써 추진하시는 것이 아닙니까. 허나 백성이 학문을 배우려면 먼저 앞서 우리의 일상말과 다른 구조를 가진 한문을 익혀야 가능합니다. 그래서 서당에서 수년을 공부해야 학문을 배울 기초를 얻습니다. 서당을 다닐 기회가 없는 상민들이라도 쉽게 체득할 글자를 보급하여 그들에게 학문을 가르쳐야 할 것입니다.

- 양반들의 텃세로 상민의 자식들이 서당을 다니지 못하는 것이지 상민의 자식이라고 우둔하여 공부할 수가 없는 것이 아니오. 나라에서 서당을 더 큰 규모로 열고 백성의 자식 누구나 들어 오도록 하여 하인이든 농사꾼이든 누구나 문자(漢字)를 배우도록 하면 될 것이오.

만리의 주장에 신미는 수긍했다. 백성이 배우기 쉬운 글을 만들라는 것인데 백성이라고 왜 쉬워야만 글을 배울 수 있는가. 쉬운 글이라는 것은 공부를 하지 않고도 알 수 있는 글을 말하는 것이니 백성을 위한 쉬운 글을 보급한다는 것은 상민백성에게는 공부를 시키지 않겠다는 것이다.

그러나 왕의 뜻이 백성을 공부시키지 않는 것은 결코 아니었다. 이미 삼강행실도(三綱行實圖)를 간행하여 종친과 신하들에게 내려주고 또 여러 도(道)에 내려주었다. 유교의 삼강을 한문을 알지 못하는 백성도 알도록 그림을 넣은 책이었다.

그런데 그 때 동료 유학자인 정창손은 말하기를

- 삼강행실도를 반포한 후에 충신 효자 열녀의 무리가 나옴을 볼 수 없는 것은 사람이 행하고 행하지 않는 것이 사람의 자질 여하에 있기 때문입니다.

했던 것이다.

창손의 생각은 사람의 천성이 부류(部類)가 있어서 소인으로 타고난 자는 교화시키려 해도 별 수 없다는 것이었다.

이러한 선민사상은 현대에서는 비판을 받을 수밖에 없다. 특히 사람이 현생 중에 거듭남을 핵심교리로 삼는 기독교의 가치가 지배하는 현대한국사회에서는 그렇다.

사람이 일생 중에 변하여 딴사람이 될 수 있냐 하는 것은 결론이 나지 않은 논쟁이다. 똑같이 범죄자와 그를 쫓는 경찰의 이야기를 다룬 영화이면서 프랑스 영화 〈悲慘한 세상〉(les miserables)에서는 범죄자가 변하고 경찰관의 생각이 패배하는 것이 나오지만 한국영화 〈보안관〉에서는 범죄자가 변하지 않고 경찰관의 생각이 옳다는 것이 나온다.

인간의 영이 윤생을 거듭하여 생존을 위한 투쟁을 목표가치로 여기던 영이 이윽고 규율에의 순종을 목표가치로 바꾸게 되거나 혹은 세상에서의 성취를 목표가치로 여기던 영이 영혼간의 관계향상을 목표가치로 바꾸게 되는 시기(時機)가 있는데 그 시기는 천상에서 순수한 靈神의 상태로 있을 때일 수도 있고 혼이 지상의 몸에 깃들어 살아가고 있는 때일 수도 있다. 靈神의 상태에서 영격발전의 단계를 넘어서면 그 다음 태어나는 생에서 이윽고 규율순종이나 관계향상을 추구하는 차상급의 인생목표를 추구하게 된다. 죽었다 깨면 겨우 사람이 변할 가능성이 있다고 보는 것이 인간부류의 천성론(天性論)이다. 모든 인간이 다 이런 과정을 거쳐야 더 높은 단계로 갈 수 있다면 인간부류가 천성으로 타고나며 변할 수 없다는 주장은 그대로 맞는다.

그러나 인간영혼의 성장을 더욱 도모하고자 한다면 이러한 천상에의 의존을 탈피하여 지상에서 적극적으로 영격의 상승을 도모해야 할 것이다. 생존투쟁의 영혼을 규율순종의 영혼으로 승격시켜야 할 것이며 성취추구의 영혼을 관계향상의 영혼으로 승격시켜야 할 것이다. 그러한 노력이 있다고 해도 현재의 생애에서 영격상승이 이뤄지는 일은 많지 않다. 그래서 인간부류의 천성론이 설득력을 얻는 것이지만 이 또한 참이 아니니 할 수 있는 한 희망을 갖고 중생의 영격상승을 위한 교육에 힘써야 하는 것이다. 하근(下根)의 중생을 이번 생에 중근(中根)으로 올리고자하며 죽었다 태어난 것에 진배없는 거듭남을 추구해야 하는 것이다.

왕은 창손의 말을 듣고

- 이런 관점을 가지고 어찌 군자의 도를 논하겠느냐 아무짝에도 쓸데없는 용속(庸俗)한 선비이다.

했지만 창손에게도 할 말은 있었다. 비록 왕에게 직접 반박하지는 못했지만 만리 등 정음창제를 반대하는 동료 유신(儒臣)들과의 술자리에서 생각을 털어놓았다.

- 상민들 중에서 충신 효자 열녀가 나온다는 가능성도 없지만 나온들 무엇 하겠나. 충신은 이미 신료(臣僚)가 될 수 없는 그들이니 불가능하고 군졸로서 나라에 충성하는 것은 상관의 지시에 복종하면 충분한 것이네. 물론 효자는 많이 나오면 좋겠지만 우리가 생각하는 그런 잣대로만 효자를 삼기에는 무리가 있네. 예를 들면 상민의 아들이 좋아하는 여인네가 있어서 혼인을 하고 싶은데 부모가 저네들 마음에 안 들어 하여 반대한다고 부모 뜻을 따라야만 하겠나. 뼈대 있는 집안에서는 집안 대대로의 가치승계가 필요하니 부모의 명을 하늘과 같이 따라야 하겠지만 상민의 집안에서 반드시 자식이 부모에게 복종해야 한다고만 할 수는 없네. 상민들은 그저 맡은 일을 열심히 하여 이익을 많이 얻어 물질의 풍요를 얻고 되도록 제 뜻에 맞는 아내를 얻어 만족하고 즐기며 살면 그것이 천리에 따르는 것이네. 열녀는 또 뭔가. 상민의 계집이 혼자되었더라도 상민 남자 중에 홀아비가 많거늘 남자를 맞이하지 않고 홀로 여생을 보내는 것이 어찌 사람들을 위한 일이 될 것인가. 상민의 집은 깊은 규방(閨房)도 아니고 담 넘고 문 열면 그만인데 여자가 어찌 혼자 살기를 바란단 말인가. 우리가 충신 효자 열녀를 추구함은 나라의 녹을 먹는 집안의 대대로

의 가치를 지켜 국기(國紀)를 바르게 하고자 함이니 우리가 나라에게서 은혜를 입음을 대신하여 지켜야 하는 것이오. 그런데 나라에서 받는 권리와 혜택이 현저히 적은 상민에게 양반의 도덕계율을 따르라 부담을 주는 것은 당치 않은 일이오. 저들은 저들대로의 살이를 누릴 권리가 있는 것이오.

지배층의 도덕관을 피지배계층에게 요구하는 것은 무리하다는 것이었다. 다른 동료들도 끄덕였다. 오늘날에도 여성을 대하는 진보적인 태도 등 지배층의 엄격한 성도덕 관념을 일반서민에게 요구하는 경향이 있는 것을 참조하면 창손의 주장은 일리 있었다. 다만 상감에게 반박논리로 발설할 수는 없었다. 상감의 입장에서는 국가의 유교적 질서가 빠짐없이 온백성에게 파급되기를 원할 것이었다. 국왕은 모든 백성을 통치하는 자리이지 상민들이라고 양반의 관리 하에 일임하겠다는 자리는 아니었다. 양반계층 이하는 자유분방하게 살 권리를 주자는 것은 국가의 통치범위를 축소시키자는 의미가 될 수밖에 없었다. 이런 변명을 하지 않은 창손은 그저 신분우월 사상에 젖은 용속한 선비라는 말을 들을 수밖에 없었다.

- 유교의 가르침은 문자를 통해서 가능한 것이지 그림을 보이며 따르라고 한다고 될 것이 아닐 듯하오. 부위자강(父爲子綱)을 말하면서 아버지가 아들의 처세의 근본이 된다함을 爲와 綱의 글자가 주는 의미로 알려주어야 배우는 자가 참뜻을 깨닫는 것이지 아들은 아비

를 따르라 함은 상민 중에도 자라면서 안 듣는 자가 없는데 그림으로 보인다고 해서 딱히 뜻을 깊게 새기거나 할 것은 아니겠소.

만리가 유교의 가르침과 한문은 불가분의 관계에 있음을 설명하자 한 후배 학사가 물었다.

- 삼강의 교훈과 같은 것들은 진실로 문자에 대한 이해가 있어야 학습자가 마음에 새기는 것이 가능할 것입니다. 그러나 나라의 인륜 질서를 유지할 목적만을 생각한다면 설령 학습자가 그 참뜻을 깨닫지는 못한다고 해도 임금과 부친과 남편을 따르는 행실만 어김없이 행하게 한다면 성공이라 할 것입니다. 이런 것을 일일이 법령으로 다스리기도 어려울 것이고… 학습이나 법령 이외에 백성이 스스로 인륜질서를 지키게 하는 묘책은 있을까요. 좋은 나라를 위해서는 그런 것이 만들어져야 할 것 같습니다.

- 법령이 아니어도 백성이 순종하는 권위는 있소. 승려와 무당의 신통력에 대한 믿음인데 유교는 그러한 믿음을 일으키는 역량이 부족하니 지식을 학습시켜 따르게 하는 수밖에 없는 것이오. 인륜질서를 가르침에 있어 무속은 말할 것이 없고 불교는 인륜질서를 다루기는 하나 다른 포괄적 가르침에 비해서는 그리 강조하지 않기에 인륜질서를 세움에 무속이나 불교를 향한 믿음이 큰 도움이 되지 않는 것이오.

- 진실로 그렇습니다. 유가의 학문을 배울 능력이 되지 않아도 스

스로의 믿음으로 인륜질서를 따르게 하는 종교가 있다면 지금처럼 불효자를 일일이 잡아들여서 벌주는 부담을 훨씬 줄일 것입니다.

- 지금은 할 수 있는 한 백성에게 학문을 가르치는 수밖에는 없소. 훗날 수백년 후에는 굳이 지식으로 이해하지 않아도 인륜질서에 복종하게 하는 종교가 어쩌면 있겠는데 그런다고 해서 모든 백성이 그 종교를 믿는다는 보장도 없으니 안 믿는 백성이 학문도 하지 않는다면 개인의 생활과 사회질서는 참으로 어지러울 것이오.

오늘날 대한민국이 기독교국가로서 시작한 것은 굳이 학문적 방법론으로 유교의 가르침을 국민이 학습하지 않아도 인륜질서를 함유하는 기독교적 윤리관을 신앙심으로 따르도록 하면 국민개인의 정서생활과 사회질서는 발전할 것이라는 자신감에서였다. 그러나 모든 국민이 기독교를 믿지는 않는 현실에서 전통적인 인륜철학이 소멸되는 것은 정신적 미개국으로 가는 결과이다. 한자를 모든 국민이 알게 하든가 모든 국민이 기독교(혹은 회교라도 가능할지 모른다)를 믿게 하든가 양자택일해야 정신이 안정된 나라와 국민이 될 것이다.

여하튼 당시로서는 백성에게 공부를 시키기 위한 징검다리로서 新文字창제의 방침이 정해진 것이었다. 이미 이에 따르기로 한(스스로 먼저 계획하기도 한) 신미는 되도록이면 백성이 학문으로 가는 문턱을 낮춰주는 것이 할일이라고 생각되었다. 처음부터 천자문이나 이두부터 배우니 상당수의 백성이 문자배우기를 어려워해 포기하고 있는 현재실정보다는 쉽게 익힐 수 있는 소리글자를 먼저 알게 하여 백성이 문서에 친숙해지도록 하는 게 낫지 않은가 생각되었다.

학문이 없는 세상

- 언문으로 백성이 쉽게 서책을 읽을 발판을 마련해주고 그 다음은 우리가 학문을 담은 서적을 편찬하고 보급하여 더 많이 가르치도록 노력하면 될 것입니다.

신미는 만리를 차분히 설득했다.

- 행수님 진정하고 상감마마의 뜻에 따르기로 하십시다. 이두를 모든 백성에게 가르친다고 해서 천한 사람들이 똑같이 학문을 공부할 것도 아니지 않습니까.

옆의 숙주도 만리를 달랬다.

만리는 사람들의 권설(勸說)은 들은 듯 만 듯 무표정하게 있다가

- 어젯밤 나는 환상을 보았네.

하고 정색하며 꿈의 이야기를 했다.

꿈은 흔히들 과거와 미래를 보여준다고 한다. 현재 삶의 과거와 미래이기도 하지만 전생이나 후생의 모습이기도 하다. 그런데도 대부분의 배경이 과거시대나 미래시대가 아닌 것은 꿈은 주제가 되는 관념이 중요한 것이고 배경 등 자질구레한 물질 요소는 중요하지 않기에 꿈 경험자의 생시에 인식하고 있는 배경소재들이 어차피 꿈의 기억에서 부족하기 마련인 배경요소를 메우기 때문이다. 현대를 사는 사람의 꿈이 비록 그 사람의 오래전 전생의 기억이거나 먼 미래의 인생설계를 열람한 것이라 할지라도 그 사람이 깼을 때 기억나는 배경이 정말 오래전 시대나 먼 미래의 정황이 반영된 것일 경우는 드물고 주로 기억나는 것은 꿈에 나오는 캐릭터끼리의 관계심리들이다. 드물게 특별한 배경이나 소품이 주제요소가 되어 기억날 수는 있으나 만리의 꿈의 주제는 등장인물들의 사고방식이었지 사건을 이루는 물체와 장소는 중요한 것이 아니어서 그런 경우에 해당되지 않았다. 해서... 그는 미래라는 의식을 가지면서도 배경은 당시의 조선과 다름이 없는 꿈을 겪었던 것이었다.

- 한강물을 건너던 큰 배가 뒤집혔소. 배에는 어느 서당의 훈장과 학동들이 타고 있었소. 그런데 사공은 배가 기울기 시작하자 일찍 강으로 뛰어들어 도망쳤소. 헤엄에 능하니 그이는 강에 뛰어듦이 겁나지 아니하였지마는 뱃몰이를 잘 아는 그이가 먼저 승객들에게 배가

기우는 반대쪽으로 자리를 옮겨서 기울기를 늦추라 지시하거나 물에 뜨는 것들을 각자 지니고 배가 뒤집히기 전에 나오라고 하면되었지만 선객(船客)들에겐 가만있으라 하고 저 혼자 빠져나오니 사공의 지시를 기다리고 있었던 훈장과 학동들은 어찌 할 바도 없었던 것이었소. 게다가 강변을 지키는 포졸들은 이 광경을 보고도 멀거니 서 있었소. 그들은 아이들을 구하다 자칫 자기가 빠져죽거나 하면 자식들은 어찌 기를 것이며 아내와의 이승의 쾌락은 어찌 버릴 것인가 하는 걱정으로 움직여지지 않는 것이었소. 그네들은 슬금슬금 뒤를 엿보아 포도대장의 명이 있을까 기다리고 있었는데 뒤에 있는 포도대장은 어명이 떨어지는 건지 아닌지 재보고 있었소. 저 정도 큰 수상재난이라면 포졸이 승선한 관선(官船)을 띄워 구하러 나갈 만도 한데 어명이 아직 안 떨어지고 있는 것은 혹시라도 저 배에 타고 있던 훈장이 조정에서 죽일 대상이었기에 조정에서 자객을 보내 물속에서 배를 뒤집은 것이 아닌지 포도대장은 의심이 되고 있는데 만약 그렇다고 아이들만 구하면 그 통에 혹시 훈장을 일부러 안 구한 상황이 드러나면 조정의 비밀이 탄로 나니 섣불리 나설 수는 없고 또 포졸들이 뒤집어진 배에 가까이 가면 배를 뒤집히게 한 어떤 알릴 수 없는 비밀이 탄로 나게 되어 후에 조정에서 시키지 않은 일을 했다고 목이 달아나는 것은 아닌가 그런 어지러운 생각 중에 결국에는 잘 알지 못하면서 나서는 것보다는 가만히 자기의 자리에서 기다리며 있는 것이 세상의 복락을 한날이라도 연장하는 길이라고 여겨지어 하릴없이 어명만을 기다리고 있었소. 이 시절에는 이미 백성은 물론이고 관리들 중의 대다수도 학문을 하지 않아 성리학을 모른다고 하오. 나라의 국시는 불교도 아니고 유교도 아니고 문자(漢字)를 쓰지 않는 서역 먼 곳의 오랑캐의 이념이 다스리고 있는데 정작 그쪽 오랑캐의 이념이나마 제대로 따르는 자들은 일할도 되지못하니 나라의 백성이든 관리이든 대다수가 눈에 보이는 세상에서 몸으로 느끼는 쾌락 이외에는 추구하고 가치를 둘 곳을 찾지 못하는 소인배 일색이니 어느 때건 하나같이 저가 안전히 살 궁리만을 하는 것이오. 그래서 나라에는 사람이 일으키는 재앙이 빈번한데 재앙이 일어나면 소인배의 붕당들이 서로 싸우면서 야당은 여당의 탓이라며 공격하여 정권을 뺏어오는데 같은 소인배들이니 달라지는 건 없고 재앙만 되풀이할 뿐이오. 세상의 도리를 배우지 않은 자들이 국록을 먹게 되어 일어나는 일들이 너무도 낱낱이 전개되는 것이었소.

- 그것은 한 사고이지 않습니까. 사고가 일어났는데 제대로 대처를 못해 여러 사람이 죽는 건 어느 시대에도 있는 것이 아닌가요. 언문이 창제되어 우리의 일상 말을 그대로 기록하게 되면 서당의 훈장이 가르칠 때 하는 말씀 그대로 해설강론이 책으로 나올 수가 있어 학문은 더욱 증진 될 것입니다. 행수께서 꾸신 꿈은 대국의 원나라 시절처럼 오랑캐의 나라와 같이 학문이 퇴조되는 나라가 될까 하늘

이 경고하심 같으니 상감의 뜻을 좇아 우리의 말씀에 맞는 글자를 만들어 백성 누구나 책을 읽게 하여 학문을 융성케 함이 좋지 않겠습니까.

삼문이 꿈의 의미를 돌리고 만리에게 번의(翻意)를 청했다.

- 오랑캐가 칼을 들고 우리 백성을 죽이고 우리 여자들을 범간(犯奸)하여 저들의 씨를 뿌린다 해도 이 나라의 학문이 보존된다면 오랑캐의 정신이 우리 땅을 점유하지는 못할 걸세. 허나 우리의 학문이 절멸한다면 비록 우리의 자손이라 할지라도 이미 그 정신은 오랑캐의 것이 되어 있을 것이네. 침선(沈船)의 꿈 이전에도 나는 학문이 없어지는 훗날세상의 꿈을 많이 꾸었네. 백성의 생업이 책상물림이 아니면 학문을 전혀 배우지 않으니 세상을 오래 살아 불혹과 지천명과 이순이 되어도 여색을 못 참고 분을 못 참아 폭행과 살인을 저지르는 자들이 허다하니 나이를 먹었다고 존경을 받을 거리도 없어서 장유유서도 없게 되었네. 노인들은 식견(識見)이 떨어져 공경을 받지 못하고 시내에 모여 주색(酒色)을 찾고 고성(高聲)이나 지르곤 한다네.

무아지경의 전지적인 시점에서 꿈에 나오는 모든 자들의 심리도 이해하고 시대배경(구체적인 물상의 배경은 제외하고)과 시대이념까지도 파악되는 상태를 만리는 경험했던 것이었다. 꿈에서 자기의 神我가 神들의 연결고리를 거슬러 올라가 민족신의 관점까지 올라가 보았기에 가능했던 일이었다. 다만 수학여행가는 고등학생들이 탄

큰 배 세월호가 목선이 아닌 철선인 것과 강이 아닌 바다를 여행했던 것 그리고 선장이 대피명령을 안하고 도망친 광경과 구조에 나섰다는 해양경찰이 각자 몸조심했던 것 등은 그대로는 형상화되지 않았다. 설사 만리의 神我가 우주기록소를 선열람(先閱覽)하여 진도 앞 해상사고를 있는 그대로 보았다고 하더라도 그런 생소한 물체들이 움직이는 장면의 기억이 당시의 사회상을 경험하고 있던 만리의 혼자(魂自)가 임(臨)해있는 뇌리(腦裏)에 제대로 하재(下載)되기는 어려운 것이었고 다만 그 장면에서 축을 이루는 중심주제와 충만해 있는 관념은 만리의 뇌리에 얼마간 내려 받아지고 거기에 만리의 생애중의 기억에 있는 배경소재가 대신 덧입혀져 생시에 떠오르는 기억으로 재구성된 것이었다.

우리는 오래 전에 극장에서 보았던 영화의 인상적인 한 장면을 유선방송이나 유튜브에서 다시 보는 조그만 감격을 맞곤 한다. 그럴 때 상당 경우 기억 속에 있던 장면과 실제영화의 장면의 구체적인 배경이 다른 것을 발견한다. 물론 그 장면이 내포하는 주제와 주어지는 인상은 옛 그대로이다. 그 옛날 영화를 보면서 그 장면이 인상을 남게 한 주제는 자기 나름의 관념 속에 굳게 간직되어 있으면서 영화 속에서 그 주제를 구현했던 정황과 배경은 희미해져가고 이후 자기의 사고방식에 따라 그 주제에 맞는 정황과 배경이 나름으로 만들어져서 애초에 기억되었던 그 장면의 정황과 배경을 대치했던 것이다.

영화의 기억은 축약되어 각본이나 원작소설 정도의 분량으로 남고 대신 자신의 상상력이 보충되어 뇌리의 그 영화는 점차 자신이 감독한 가상의 영화가 되고 마는 것이다. 하물며 구체적 배경보다는 관념이 우선되는 꿈의 기억에 관해서는 말할 나위 없다.

새로이 삼한을 다스리는 서역 먼 곳의 오랑캐의 이념이란 기독교가 해당되었다. 기존의 유교이념을 갈아엎는 기세로 보급되고자 했던 것인데 유교국들보다 부강해진 나라들의 이념이라는 것에서 정당성을 찾았다. 하지만 정작 그 이념을 제대로 따르는 자들은 일할도 안 되고 그 이념을 반대한다는 자들조차 유교 등 기존의 지도이념을 무너뜨리는 것에는 동조하니 결국 백성일반에게 세속의 가치 그 이상을 가르치는 강력한 지도이념의 존재는 없게 되었다. 기독교와 동시에 수입된 서역오랑캐이념인 공산주의에 관한 담론은 지면사정상 생략한다.

만리는 미래시대의 환영을 보았기에 훗날 있을지 모를 지도이념의 몰락을 막고자 나섰다. 당시에 불교가 유교에 의해서 말소될 위기가 왔듯이 유교 또한 다른 이념에 의해서 말소될 위기가 올 것을 방비해야 했다.

그러나 만리에게 내려진 계시(啓示)는 동료학자들에게 충분히 전달되고 이해되지 못했다. 만리는 명석몽(明晳夢) 능력자가 아니었기에 더 자세히 꿈에 내린 계시를 설명할 수는 없었고 듣는 자들은 백성이 학문을 하지 않으면 나라가 타락할 것이라는 원칙론만을 받아들일 뿐이었다. 다만 무당의 집안출신인 김문은 기왕에 섰던 입장은 달랐지만 만리의 이야기를 듣고 표정이 달라지면서 진지하게 관심을 두는 듯하였다.

- 상감께서 공직은 반드시 한문을 배워야 등용한다고 하시지 않았습니까.

팽년이 반문했다.

- 이제 그만 고집을 꺾고 상감의 뜻에 따라 주십시오. 행수님의 신상이 염려됩니다. 앞으로 선비로서 더 심각한 일도 있을지 모르는데 이 정도 일로 절개를 바치실 수는 없지 않겠습니까.

삼문이 설득했다.

- 아니네. 이보다 더 큰 일이 어디 있는가. 이것은 상감께 대한 충성을 넘어서 우리 三韓 땅에 자리한 나라의 천년만년 장래에 관한 일이네. 내 차마 직접 아뢰지는 못했으나... 비록 조선은 한문을 공용하는 나라로 상감께서 못 박아두셨다고 해도... 훗날 어느 때 왕조가 바뀌면 어찌할 것인가. 대명(大明) 이전의 원(元)이 중원을 점령하고서는 저들의 몽고문자를 궁중의 문자로 삼고 전조(前朝) 대송(大宋)의 찬란했던 학문을 쇠퇴시킨 역사가 있지 않은가. 조선도 언제 다른 오랑캐가 나라를 지배하게 될 지 알 수가 없네. 이 땅을 점령한 오랑캐가 진서를 억압하고 저들 뜻대로 국자(國字)를 지정하여 국자로는 학

문을 하지 못하니 어리석어진 백성이 견돈(犬豚)과 같이 오랑캐의 지배하에 놓일 것이네.

- 어차피 오랑캐의 침략을 이기지 못하면 나라는 망하는 법이니 그런 일이 없도록 하는 것밖에는 없지 않습니까.

삼문이 말하고 팽년이 끄덕이고 절개 있는 젊은 선비들의 생각은 이런 것이었다. 만리는 다시 현실의 사례를 들어 설득코자 했다.

- 대송이 원에 의해 망했다 해도 대명이 다시 일어선 것은 몽고의 통치 아래서도 백성 모두가 진서를 잊지 않았으니 살아날 수 있었던 것이네.

하며 남송 당시 백성의 학문수준이 얼마나 높이 도달했으며 그것이 비록 일시적인 오랑캐의 지배를 받더라도 민족이 다시 일어설 기반이 되었노라를 강조했다. 만리가 예로 든 사례는 다른 유생들도 많이들 아는 것이기에 금방 고개를 끄덕이고 이해할만한 것이었다.

남송에서 중서사인(中書舍人)을 지낸 범단신(范端臣)이 학생 때 친구와 수도 임안(臨安/浙江省杭州)의 서호(西湖) 근방 명승지인 고산(孤山)으로 유람을 나섰다.

이곳에서 사대부의 관에 다는 장신구인 관이(冠珥)를 파는 노점을 보았다. 범단신은 마음에 드는 것을 집어들고 값을 물었더니 상인은 三천문(文)이라고 했다. 노점상이 부른 대로 값을 치를 수는 없다고 여긴 범단신은 친구와 에누리를 상의하며 상인이 알아차리지 못하게 논어의 편차(篇次)를 이용했다.

- 三천문이라는데 안연(顔淵)정도면 어떤가.

- 아냐, 기껏해서 향당(鄕黨)으로 넉넉하네.

안연은 논어 제십이편 향당은 제십편이니 즉 천이백문이면 어떨까 그리고 아니네 일천문이면 충분하네 하는 의미였다.

그러자 두 사람의 얘기를 듣고 있던 상인이 그 물건을 도로 거두는 것이었다. 범단신이

- 아직 흥정이 안 끝나지 않았은가.

하니 상인은

- 손님 이 물건의 원가는 위령공(衛靈公)입니다. 손님이 보신 값으로는 장사가 안됩니다.

하는 것이었다.

위령공은 논어 제십오편이니 즉 원가가 천오백문이라 도저히 천이백문이나 일천문으로는 팔수가 없다는 것이었다.

이렇게 노점상도 논어를 외우는 남송과는 달리 조선이 만약 일부 양반계급만이 한문을 알고 백성들은 학문배우기와 관련이 없는 쉬운 일상어표기법만 익히고 만다면 훗날 오랑캐의 힘이 강해졌을 때 나라의 근본은 속절없이 무너지고 말 것이 아니냐는 것이었다.

신미는 만리가 이토록 성리학과 한문에 집착하는 것을 이해할 수 있었다. 만리를 비롯한 조선의 성리학자 다수가 송나라에서 성리학

이 성행할 때 학자들의 후신이라서 송나라에서 정성들여 이룩한 학문의 업적이 남송시대 말엽에 몽고군의 말발굽에 짓밟혀 단절되었던 아픔이 되풀이 될까하는 천성적인 공포증이 있는 것이었다.

신미가 가볍게 끄덕이며 경청하는 것을 본 만리는 신미를 향하며 말을 이었다.

- 언문을 만들어도 아녀자와 천한 것들만 사용하고 양반은 한문을 사용하게 하며 관리의 등용에는 한문을 필수로 할 것이니 상감께서는 언문을 만드는 것이 걱정될 것이 없다고 하시오. 그러나 신미대사 생각해보시오. 사람의 빈부귀천은 돌고 도는 것이라고 불가에서 말하지 않소. 지금의 양반이 후에 어려운 입장에 태어나고 지금의 천한 자들이 후에 부귀를 누리는 자리에 있다고 생각해 보시오. 헌데 그들이 비록 업보의 탄력을 받아 귀한 신분으로 태어나도 영혼에 학문을 연마한 전생이 없어서 자기에게 주어진 기회를 주체못하고 허랑방탕하게 살고 만다면 어찌하겠소. 허니 지금 천한 신분에 있는 자라도 학문을 공부할 수 있게 하인이라도 기초한자는 배우도록 해야 할 것이오. 양반들은 아랫것들이 학문을 배워 기어오를 것이라는 두려움을 갖지 말아야 하오. 어차피 후생의 언젠가에는 일어날 수밖에 없는 일이고 그런 것이 금생에 일어나는가는 천운에 따를 뿐... 지금의 상민이 후에 양반으로 태어나도 학문에 익숙한 영혼이 되어 있도록 모든 백성에게 학문을 할 기회를 주어야 하오. 신미대사 말씀 좀 해보

시오.

계속 만리의 이야기를 듣고만 있었던 신미는

- 업보로 인해 일어날 일이면 일어나는 것이 순리이지요.

하고 합장했다.

이 자리에서는 더 이상 토론이 진전할 수는 없었다. 신미가 왕을 쉽게 만난다 해서 신미에게 왕께 진언해달라고 부탁한다는 것은 그러잖아도 승려의 정치개입을 비판해온 유신들로서는 있을 수 없는 일이었다. 신미는 먼저 자리를 떠났다.

- 행수는 어찌 불교를 그리 잘 아십니까.

학사 중에 선배벌로서 조용히 있던 정인지(鄭麟趾)가 물었다.

- 사실은 알면서도 모르는 척 백성 다스리기에 좋은 정도만을 뽑아서 지식을 제한해서 가르치는 것이 유교가 아니겠소. 수백년 후에도 역시 윤회 같은 것은 빼고 백성 다스리기에 좋게끔 세상진리의 일부만을 가르치는 지도이념이 이 땅을 다스릴 것이오.

- 백성을 속이니까 나쁘다는 것입니까.

- 그렇게 생각한다면 나 또한 유생의 길을 택하지 않았소. 한 사람을 기르고 가르칠 때에도 그 나이와 학업수준에 맞게 가르쳐야 할진대 세상을 치리(治理)할 때에도 중생의 영혼의 발전수준이 어느 정도인가를 보아서 그에 맞게 가르쳐야 하는 것이오. 아직 지상에서 많은 수련을 더 거쳐야 할 하근(下根)의 영혼들에게는 유교의 가르침이 더

그들의 영성계발(靈性啓發)에 효과가 좋은 것이오. 아직 백성의 수준은 안 되었는데 불교의 가르침을 곧이곧대로 시행하면 자칫 백성의 영성계발을 포기하는 쪽으로 나갈 지도 모르오.

- 아이는 나중에 어른이 된다는 기대나 있지만 민중은 소인으로서 이익추구에 쫓기는 생활을 하다가 생애 중에 군자의 길을 걷는 삶으로 바뀌기란 기대하기 어려우니 유교의 가르침이 민중에게 희망을 주지 못하고 있는 듯합니다.

- 그래서 유교처럼 윤회의 진리를 감추면서 불교처럼 현생 후의 삶이 있다고 가르치는... 유교와 불교의 장점을 취합한 백성지도이념이 앞으로 이 땅을 다스리게 될지 모르오.

- 불교의 복잡한 여러 神들이 백성민중을 혼란스럽게 하고 이단이 성행하는 원인이 되는데 그런 건 정리될 수 있겠소이까.

- 우주를 다스리는 理를 주체적인 존재에 의한 治理로 보는 것이 다를 것이고 나머지는 비슷할 것이오.

왕이 불상에 절하는 것을 비판하고 백성에게는 세상의 권세에 굴복하라 하고 교리전파자는 인륜의 질서를 교란하는 이단에 민감하고 현생의 긴장감을 늦출 위험이 있는 윤회론을 감추고 인간이 우주의 조화와 화합하여 우주의 절대원리와 공존하는 구원을 얻고자 함이 당시의 유교와 성리학이었다.

무당이 본 미래의 환상

왕은 결코 학문을 배우지 않은 자가 관직에 오르지는 못할 것임을 약속하고 공문서의 한문사용을 흔들림 없이 실천했다. 그러나 왕의 이러한 확고한 보장에도 불구하고 만리는 안심할 수가 없었다. 훗날 조선왕조가 바뀐다면 어찌될 것인가. 왕조가 바뀐다고 지금 만드는 언문이 없어지지는 않을 것이다. 혹 예전 중국 몽고의 원나라 왕조처럼 중화의 문명을 가볍게 여기는 정권이 들어서면 어찌 될 것인가. 그 때에는 새 조정의 계획에 따라 성리학을 시험과목으로 삼지 않으면 언문으로도 일상의 기록은 가능하니 충분히 언문만으로 관리를 등용할 가능성이 있다. 한문으로 표기하는 성리학을 배우지 않은 공직자도 틀림없이 나올 것이 아닌가. 우주와 인간에 대한 철학이 없는 공직자로 조정이 들어차는 것이 심히 우려되었다.

- 행수님 긴히 드릴 말씀이 있습니다.

애초에 정음창제 찬동파에 있었으니 만리로서는 관심 밖의 사람이었던 김문(金汶)이 만리에게 면담을 청해왔다.

- 문이 그대까지 나를 설득시킬 셈이오. 그래 백성이 성현의 말씀보다 무당의 신통력에 의존하여 살아가는 세상이 좋을 것 같소이까.

이미 만리는 대세가 자기 쪽이 아니라는 형편 때문에 신경이 민감해져 있었다. 문의 집안에 무당이 있다고는 하지만 어디까지나 유학을 공부한 집현전 학사일진대 지나친 발언이었다.

- 아니올시다. 먼저 행수께서는 언문이 통용된 이후 훗날의 환상을 말씀하셨습니다. 소인 또한 비슷한 경험을 했기에 행수께 말씀드릴까합니다.

- 그런 것을 보았다는 것이 중요한 것이 아니요. 본 것의 의미를 자기가 확신하게 되면 그게 의미가 있는 것이요.

- 소인도 그렇게 생각하고 있습니다.

하며 문이 전한 이야기가 있었다.

천한 신분인 무당의 아들로 태어나 과거에 급제하고 집현전 직제학까지 오른 그의 성장과정은 출생에 따른 계급사회의 시대에 파격이었다. 오늘날의 생각으로는 파격이라고 하면 일단 좋은 것으로 여기곤 한다. 하지만 당시로서는 파격을 제약했던 격식에는 이유가 있는 법이었다. 어느 직종 사람의 신분을 낮춘다는 것은 그만큼 그 직종의 활동을 국가적 가치실현의 중심에서 멀리한다는 것이다. 백정을 천한 직종으로 삼은 것은 살생을 금기시하는 불교의 전통이 민간에 남아있고 전통적인 양민들은 군자 되기를 목표로 해야 하니 혹 이익은 더 남을 수 있어도 군자의 길에 어울리지 않는 직종은 국기(國紀)와 최대한 거리를 두어야 했기 때문이었다.

마찬가지로 무당의 부류는 최대한 국사(國事)에 영향을 주지 말도록 해야 했다. 무당의 신통력은 간혹 효험이 나타나기도 하지만 지극히 주관적인 것으로서 체제를 관통하는 통치지침의 재료가 되어서는 안 되는 것이었다. 그런데 무당의 업을 가진 자의 아들로서 무당과 근거리의 인연을 가진 자를 국정에 가까운 곳에 등용한다면 무당을 통해 인간 세상에 관여하던 神이 국사에 관여를 시도하게 될 것이었다. 이것이 격식을 파괴한 인재등용에 대가로 발생하는 위험부담이었다.

문(汶)이 언문창제의 계획을 듣고 일단 찬동했던 것은 어명을 따름이 용이해서가 아니라 언문의 창제는 어머니와 같은 무당계층에 힘을 줄 것을 기대해서였다. 무당굿의 내용은 한문으로 기록이 불가능하니 언문으로 나오는 소리 그대로를 적어 기록한다면 무당굿도 하나의 기록문화로서 격상될 것이다. 물론 당사자인 무당들은 신내림을 통해 이어받는 신통력으로 무속이 이어진다고 생각하니 말소리를 그대로 적는 글자 같은 것을 아쉬워하지는 않지만 학자인 문의 관점에서는 무당굿의 발언내용도 기록할 가치가 있다고 보는 것이었다.

이후 문이 어머니에게 문안을 갔을 때 어머니 무당은 사당에서 기도 중 기이한 계시를 받았음을 말했다.

- 사람들의 행색이 야릇하여 어느 나라인지 모르겠지만 사직단(社稷壇)에 참배를 하러온 임금과 대신들이 지방(紙榜)을 쓰는데 그 글씨가 알 수가 없더구나. 부적에도 쓰인 일이 없고... 사람들 얼굴은 우리나라 사람 같이 보이더구만...

문은 어머니가 미래를 본 것이며 지금 창제 작업을 하고 있는 언문이리라 생각되었다.

- 어머니, 제게도 그 환상이 보이도록 기도하여주십시오. 소자는 그 의미를 알아낼 것 같습니다.

어머니 무당은 천지신명께 빌어 자기가 본 그와 같은 장면을 아들에게도 보여 달라고 했다. 문은 가만히 눈을 감아 계시를 기다렸다.

사직단은 넓고 큰데 많은 사람들이 검은 옷을 입고 모여 있었고 상투도 틀지 않고 갓도 쓰지 않았다. 그들은 줄을 서서 지방을 쓰는데 지방을 책처럼 겹쳐서 쓰고 있었다.

여하튼 그들이 필기하는 글씨를 보니 언문이 틀림없었다. 문은 더 자세히 오래 보기 위하여 더욱 어머니의 기도소리에 집중했다.

그런데 문이 광경을 보게 되는 것은 지금 그의 혼 그대로가 미래로 떠나가서 보는 것이 아니라 그의 혼이 신통(神通)하여 미래시대에 그의 신명(神明)이 민족혼을 가진 신명의 하나로서 사직단을 방문하는 장면을 미리 겪는 것이었다. 민족혼을 함유한 신명으로서 사직단에서 후손들이 조상을 잘 모시고 있나 살펴보고 만약 마음에 들면 민족의 새 시대에 다시 태어나 민족을 더욱 발전시키고 싶은 목적이 있는 방문이었다.

문의 어머니와 문이 사직단이라고 보았던 것은 국립묘지이고 지방이라고 보았던 것은 국립묘지의 방명록(芳名錄)이었다.

문의 신명은 줄줄이 방명록에 서명하는 임금과 대신들 즉 대통령과 장관들을 보았다. 혹 조상에게 축원하며 굽어 살피기를 바라는 글귀가 있는가 보려고 했다.

그런데 그들이 쓰는 글씨는 하나도 알아볼 수가 없었다. 무슨 의미 있는 기원(祈願)을 써 올릴 듯 기대했던 이미 익숙한 한문글은 하나도 없었고 새로 만드는 언문글자로 추정되는 글만 지방에 적고 있었다. 게다가 그 글씨들은 하나같이 괴이하게도 왼쪽부터 오른쪽으로만 필기를 하니 언문의 모양을 이미 알고 있는 문의 신명일지라도 알아보기는 거의 불가능했다.

- 아주 딴 나라가 되어 버렸구나. 저들은 필시 나처럼 민족에 오래

뿌리박은 신명의 혼이 찾아오는 것을 꺼리고 있다. 이미 나만큼의 수련을 쌓은 고급의 영혼은 그 역량을 활용하기에 적합지 않은 곳으로 변해있는 것이다. 이런 곳에 다시 태어난다한들 나의 영성진보와 소명실현을 위해 무슨 소용이 있을 것인가…

문의 신명은 탄생을 포기하고 떠나 올라가는 것이었다. 지나간 이 땅에서의 생애에서 어려운 환경의 인생을 맞을 때에도 학문을 익힌 경력이 높아 이제 올곧게 쌓은 지혜를 부족함 없이 응용할 좋은 환경을 타고나 태어나고자 했는데 도무지 그 목적을 이룰 장소가 되지 못하는 것이었다.

누생(累生)을 거치며 인간의 학문을 거듭 익혀 풍부하고 다양한 지식(知識)이 축적되어 높은 지혜(智慧)가 영신(靈神)에 형성된 영혼이 이제 그 역량을 높이 발휘할 시기(時機)가 왔는데 어찌 이렇게 학문과 소격(疏隔)한 곳에 태어날 것인가… 중생을 구제하며 자기 업장을 풀 목적을 가진 영혼이라면 학문이 괄시당하는 험한 곳에 태어나 고초를 겪으며 진리를 전파함도 가하다. 하지만 그때에 이르면 문의 영혼도 고초와 간난의 시절을 통과하고 다시 부요함과 형통함을 맞아 그 환경을 활용하며 뜻을 실현할 차례이다. 그런데 나라의 환경이 도무지 그 때까지 생을 거듭해 익혀왔던 학문과 지혜를 원만히 펼칠 여건이 안 되니 영혼은 강림하여 출생하기를 포기하는 것이었다.

이와 같은 판단을 내려 신명이 애초에 태어나리라 계획했던 삼한 땅을 버리고 떠나는 장면을 미래상황을 직접 들어가 열람한 문은 눈을 뜨고 어머니의 기도를 중지시켰다.

- 어머니 우리의 靈魂은 지금 비천한 신분으로 어렵게 살면서도 진지하게 학문을 추구하고 진리를 탐구하여 우리 靈魂의 靈格을 높이는데 힘써왔습니다. 그리하여 훗날 우리는 성숙한 靈格을 가지고 유리한 환경을 타고 태어나 나라를 위하여 큰일을 하도록 예정해 왔었습니다. 그런데 앞으로 언문을 비천한 자들에게 보급한다고 합니다. 비천한 자들은 구태여 어렵게 문자를 배워 학문을 탐구할 필요가 없이 언문만으로 자유롭게 자기 뜻을 실어 펼치면서 살 수 있게 한다는 것입니다. 그러면 우리 말고 다른 대다수의 이 시대에 비천한 운명을 겪는 자들은 자기의 靈格을 올릴 노력조차 안하고 쾌락만을 좇으며 흘러가는 인생을 살 것입니다. 그러한 자들이 훗날 靈格이 성숙되지 않은 채로 단지 지나간 고된 인생들의 보상으로 부귀의 팔자를 타고 나게 될 때 이 나라는 어찌될까요. 특히 우리같이 고된 운명을 노력하여 살아온 靈魂은 설령 부귀의 업보가 돌아온다고 하여도 학문으로 성숙한 靈格이 소용되지 않아서 근래 수백년의 고행이 허사가 될 것입니다. 이대로는 안 됩니다. 최만리 부제학이 반대를 주청하였지만 상감께서는 귀화한 여진족 같은 무리들을 위하여 언문을 창제하실 뜻을 굽히지 않으신다고 합니다. 이제 소자도 뜻을 같이하여 무모한 언문창제를 막으러 가야겠습니다.

문(汶)의 어머니는 아들의 결심을 말리지 않았다. 그것은 아들의 결사항전을 격려하는 여장부라서가 아니라 이미 현생의 인간 삶 밖을 살피는 무당이었기에 무엇이 오랜 세월 영혼의 여정 중에 떳떳하게 업적을 인정받을 일이 될는지 알기 때문이었다.

김문이 환상 중에 살핀 오늘날의 국립묘지의 장면은 대통령을 비롯한 국가지도자들이 서명할 때 반드시 한글 그리고 가로쓰기로만 하는 것을 보았던 것이었다. 김문이 살았던 당시 이후로 조선시대가 끝나고 일제시대에 이르러야 생긴 글 양식인대 하필이면 조상에게 인사할 때 꼭꼭 그런 식으로만 하는 것은 이유가 있었다.

윤회는 간혹 지역과 민족을 바꾸기도 하지만 익숙한 곳에서의 업을 해소하고자 다시 찾아오곤 하는데 세계 각 민족이 선조에 드리는 제사에서 선조의 영혼이 다시 우리에게 와 달라하는 것은 저네 공동체의 발전과 지속을 위한 기원이다. 그런데 훗날의 삼한에서 조상에게 인사할 때 굳이 조상에게 생소한 문구형태로만 서명하는 규칙이 있는 것은 조상의 신명에게 여기 삼한 땅은 딴 세상이 됐으니 오지 말아주십시오 하는 것이었다.

김문과 그의 어머니가 속한 靈倫은 한반도 땅에서의 전생을 많이 가지고 있는 집단으로서 특히 신라와 고려에서 귀한 신분으로 많이 태어난 바 있었다. 그러다보니 당시의 아랫사람들에게 업을 진 것이 쌓여서 비록 한반도 땅에서의 삶의 지혜는 영혼에 많이 축적되었지만 조선시대에 이르러서는 사회적인 천대와 생활의 간난을 겪기 위한 신분으로 태어났으니 지혜가 뛰어난 천한 자들이 할 만한 일이 무당이었다. 오늘날의 영격분류로 보면 신라와 고려시대에 성취지향의 단계를 겪고 조선시대에 이르러서는 인연 있는 자들과의 관계향상으로 업보를 정리하는 단계의 높은 영격의 집단이었다.

- 그렇게 언문이 천한 사람들의 일상에 쓰여서 그네들이 일생 동안에 아무런 학문을 하지 않고도 지낼 수 있게 한다면 그네들은 한평생을 살아도 영혼이 자라지 못할 것이며 훗날 천한 사람들이 영혼이 미숙한 채로 운세의 변화를 타고 높은 자리에 갔을 때 언문은 그네들이 과거에 학문을 몰라 비참하게 살았던 시절의 원한을 복수하는 도구로 사용될 것 같습니다. 언문의 사용을 강제하여 학문을 아는 사람들이 기를 못 펴게 하고 그네들이 학문을 모르면서도 지위를 유지하도록 하는 것입니다.

문으로부터 이야기를 듣는 동안 만리는 상당히 진지하게 경청했다. 그러나 뜻을 함께함에 있어서는 신중한 자세를 취했다.

- 말씀하신 것은 의미심장하지만 직제학은 자기의 이성(理性)으로 판단하지 않고 자당(慈堂)이신 무당의 신통력을 믿어 그리하시는 것이 아닌가하오. 그런 식으로 중대사를 판단하는 것은 우리가 추구하는 이념에 맞지 않소이다. 그런 방식이시라면 본관은 직제학께서 본관과 함께하시는 것을 원하지 않습니다.

- 그 환상만을 두고 소인이 이리 마음을 바꾼 것이 아니고 그 환상을 근거로 낱낱이 따져보매 언문창제는 장차 외래 민족이 이 나라의 정신을 몰락시키고 민족신을 교체하기 위한 공격의 수단으로 악용되리라 판단되는 것입니다.

- 천한 사람들의 글자로 언문이 책정되니 저들은 생애동안 학문을 하지 않고 무위(無爲)한 인생을 보낼 것이고 양반네들과 사용하는 글자가 다르니 반상(班常)의 신분계급의 차이는 극명히 나타날 것이고 서로가 사용하는 글자가 달라서 소통(疏通)이 되지 않으니 서로의 갈등과 반목은 커져가고 천한 사람들은 진서 보기를 원수같이 할 것이오. 그러다가 진서를 쓰지 않는 오랑캐가 이 나라를 점하게 되면 지금의 천한 사람들은 그 때 되어 설령 부귀한 신분으로 태어난다고 해도 학문하기를 생각 않고 오랑캐와 결탁하여 이 나라의 정신을 갈아엎으려고만 할 거요. 기왕의 학문의 전통이 사라져야 그네들의 靈侖이 이 나라에서 지위를 얻고 부를 얻어 번성하기에 좋을 것이니 말이오. 그렇게 학문의 수련이 부족한 영격의 사람들이 이 나라의 양반계급이 되었을 때는 설령 오랑캐가 이 나라를 창검으로 빼앗지 않더라도 나라가 제대로 남아있을지가 염려되오.

만리는 이미 문의 이야기의 뜻을 다 받아들이고 있었다.

- 그네들은 권력주변에서 부귀를 얻는 것에 그치고 나라는 이미 먼나라 오랑캐의 민족신의 지배하에 먼나라 오랑캐 민족혼의 후예

들이 주무를 것입니다.

문은 냉철한 이성으로 구체적으로 분석하여 견해를 내놓았다. 만리는 동지로서 함께 가기를 제안했다.

- 그러한 환상은 나도 본 것이니 더 무슨 의심을 하겠소. 직제학은 조금만 세상의 흐름에 어긋나도 천출을 공연히 등용했다느니 트집을 잡힐 것인데 용기를 내어주시니 고맙소. 우리가 비록 강직하게 뜻을 주장해도 만약 우리의 뜻이 관철되지 못하면... 백이(伯夷) 숙제(叔齊)나 박제상(朴堤上)이나 정몽주(鄭夢周)나 그 충절이 인정받기는 오래지 않았지만... 우리의 충절은 훗날에도 쉽사리 인정되지 않을 것이오. 그래도 좋겠소이까.

- 왜 그렇다 생각하십니까.

- 어허. 그렇게 말씀하시고도 모르시오. 백성이 학문을 알지 못하게 되었는데 훗날의 사람들이 의리니 충절이니 알 턱이 있겠소이까.

- 현자(賢者)의 맥이 단절돼도 다시 나오게 마련입니다. 혼백이 몸을 떠나고 혼령이 된 후에 그까짓 시간이 대수이겠습니까.

문은 지상의 시간에 구애받지 않는 혼령과 신명의 세계를 알고 있었다. 자기영혼의 영생과 구원을 위해 중요한 것은 세상의 영화는 물론 사후의 명예도 아니요 지상에서 인간이 살아가는 목적인 인간영혼의 성장을 위하여 보탬이 되는 편에 섰느냐 하는 것이다. 이것이 오늘날 말하는 正義의 定義이기도 하다.

이렇게 하여 두 사람은 뜻을 합치고 유신들을 규합하여 정음창제 반대의 상소를 올리기로 했다.

만리와 문 등은 상소문을 작성하여 올린 후 다시 왕을 알현해 정음창제의 번의를 간청했다. 그러나 왕의 대답은 처음부터 분명했다.

- 경들의 상소문은 이미 보았는바 과인이 뜻을 달리할 일은 없으니 이만 거두고 앞으로 집현전의 학문에 관련하여 과인이 묻고 싶은 일에나 답해주길 바라오.

왕은 면담을 거절하지는 않았다. 그만큼 만리 등을 아끼기 때문이었다. 왕은 화제를 돌리려 했으나 만리는 상소문의 내용을 복창하며 언문창제의 부당함을 다시 호소했다.

- 집현전부제학 최만리 아뢰옵니다. 신등(臣等)이 엎디어 상감께서 언문(諺文) 제작하심을 보옵건대 지극히 신묘(神妙)하시고 물상(物象)을 창조하시고 지혜를 운행하심이 천년에 드문 정도이십니다. 허나 신등이 저마다 가지고 있는 죽절관(竹節管)을 통해 살펴본 좁은 소견으로는 오히려 의심되는 것이 있사와 감히 두려운 마음으로 간절하게 털어놓아 삼가 다음과 같이 아뢰오니 엎디어 성상(聖上)의 재처(裁處)를 바라옵니다. 우리 조선은 태조대왕과 태종대왕 이래로 학문을 중시하는 중화의 나라로서 변방의 무지한 오랑캐족속들과는 달리 하늘의 뜻을 섬기고 따르는 나라입니다. 해동에 자리한 소중화로서 늘 대중화의 문물을 경(輕)히 여기지 아니하여 지성(至誠)으로

대중화와의 모든 일에 함께하는 자세로 한결같이 중화(中華)의 제도를 준행(遵行)해온 바 이제까지 글을 함께하고 사상과 이념을 함께해왔는데 이러한 때에 언문을 창제하심은 보기에도 듣기에도 놀라울 뿐입니다.

- 언문의 모양은 대체로 옛 글자를 본뜬 것이고 아주 새로 만든 글자가 아니다. 중화와 별개의 것이 아니네.

왕은 만리 등의 주장을 진정시키고자 간간이 대답했다. 정음을 창제할 것이냐 말 것이냐 관하여는 후퇴의 여지가 없기에 서로가 조화로운 협의를 도출할 가능성은 이미 없는 것이었다.

- 글자의 형상은 비록 옛 전문(篆文)을 모방했더라도 음을 따라 글자를 조합하는 방식은 일찍이 없었던 것이니 실로 옛 문물에 근거함이 전혀 없사옵니다. 만약 언문이 중국에 알려져서 혹시라도 비난하여 말하는 자가 있다면 어찌 대국을 섬기고 중화를 사모하는 데 부끄러움이 없사오리까. 옛부터 중화의 구주(九州)는 풍토는 달라도 방언에 따라 별도의 문자를 만든 일이 없사옵고 오직 몽고(蒙古) 서하(西夏) 여진(女眞) 일본(日本)과 서번(西蕃)의 부류가 각기 그 글자가 있는데 이것은 이적(夷狄)의 일이니 말할 나위 없사옵니다.

옛날 하(夏)나라의 우왕(禹王)이 전국을 아홉 주(州)로 나누어 다스렸는데 이 아홉 주에 속하는 지역이 당시 중화의 문화를 향유하는 지역이었다. 그런데 만리가 한반도 지역을 구주의 하나처럼 간주했던 것은 이미 한반도는 정신적으로 중화문화의 지역이었기 때문이었다. 사실 구주는 고대 夏나라 시대의 중화권이었으니 명나라의 영토도 구주가 아닌 것은 마찬가지였다. 그럼에도 명의 영토를 중화문화 지역이라고 하는 것은 아무도 부정하지 않는다. 한반도 역시 확장된 중화문화지역으로서 주변의 후진국들과 구분된다는 인식은 자연스러운 것이었다.

만리의 주청은 계속되었다.

- 예부터 화하(華夏)에 의해 이적(夷狄)이 변하였고 화하가 이적을 따라 변함이란 없는 것인바 역대로 중국에서도 우리나라는 기자(箕子)의 유풍(遺風)이 있다하여 문물과 예악을 중화에 견주고 있는데 이제 따로 언문을 만드는 것은 중국을 버리고 스스로 이적에 동화함이니 소합향(蘇合香)을 버리고 당랑환(螗螂丸)을 취함처럼 문명에 큰 누(累)가 됨이옵니다.

화하 즉 중화문명의 지역은 점차 확장되어간다. 화하의 앞선 문명이 이적을 감화시켜 이적이 화하에 귀순하여 동화되는 것이 순리이다. 조선은 오래전부터 중국에서 인정받아온 기자의 유풍을 지닌 중화선진문명의 나라인데 몽고 서하 여진 일본 서번의 후진문명 지역의 민족처럼 저네의 지역문자를 사용하면 중화선진문명에 뒤처지게 되어 중화에서 오랑캐로 퇴보의 길을 가는 것이 아닌가 우려하는 것이었다. 그리하여 좋은 약을 버리고 나쁜 약을 취함과 같이 비유했다. 만리의 생각은 한국민족을 몽고 여진 등의 변방 비(非)한자문화권 민족들과 같은 반열로 보려는 사람들에게는 주체성이 없는 사대주의로 보일 수밖에 없었다.

- 경은 오해를 하고 있는데 우리가 몽고나 여진 오랑캐처럼 진서를 멀리하고 저네들만 통용되는 글을 만들어 쓰겠다는 것이 아니오. 대국 안에도 곳곳에 소수의 오랑캐 족속들이 섞여 살고 있소. 그네들에게도 저네 방언을 적는 음문자들이 있는데 이곳에서 진서를 모르는 어리석은 백성의 무리에게 방언을 적는 수단을 만들어준들 무슨 허물이 되겠소.

왕은 언문이 한문을 대치하는 것이 아님을 밝혔지만 만리는 한문외에 우리말을 적기위한 수단으로서는 이미 이두가 있는데 무슨 필요가 있냐는 것이었다.

- 신라 설총(薛聰)의 이두는 비록 천하고 속된 말을 적기 위한 것이오나 중국에서 통용하는 문자와 다르지 않아서 서리(胥吏)나 복예(僕隸)일지라도 우선 약간의 한문을 읽게 하여서 문자를 대강 알게 된 후에야 사용이 가능하니 이두로 인하여 문자를 알게 되는 자가 파다(頗多)하여 학문보급에 도움이 되었습니다.

이두가 비록 일상말을 적는 데 썩 편리하지는 않지만 백성의 민원을 받아 기록하는 등의 목적으로 이두를 배워야 하는 낮은 공직의 사람들도 이두를 알려면 우선 漢字를 어느 정도 알아야하기 때문에 漢

文을 공부하게 되고 그러다보니 비록 낮은 공직의 사람이라도 學問을 접하게 되어 세상의 이치와 인간의 도리를 어느 정도 파악하게 한다는 것이었다.

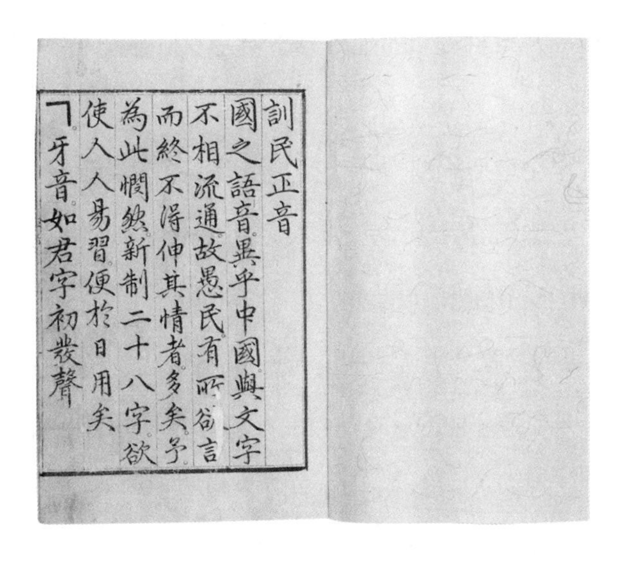

訓民正音
國之語音異乎中國與文字
不相流通故愚民有所欲言
而終不得伸其情者多矣予
為此憫然新制二十八字欲
使人人易習便於日用矣
ㄱ牙音如君字初發聲

군자의 의지는 생명

학문을 굳이 배울 필요가 없는 직종의 사람들에게 일부러 의무적으로 학문을 배우도록 유도하는 것이 옳은 것인가는 오늘날에도 따져봐야 할 문제이다. 택시운전사나 아파트경비원 같은 사람들이 업무상으로 지적어휘가 필요치 않기 때문에 한글전용으로 그들에게 지적어휘를 회피할 자유를 주는 것이 민중의 권익에 보탬 되는 것인가는 유물론적으로는 타당성이 있다. 국민의 건강을 증진한다면서 아침마다 국민체조를 시키는 정권이 호평을 받기 어렵듯이 국민의 지적능력을 항상 시키겠다고 억지로 공부를 하게하는 정권도 일각에서는 칭찬받기 어렵다.

다만 영성적 의미의 국가존재목적으로는 국민의 영혼을 국가 내에서의 생애동안에 향상시켜야 하므로 학문학습을 유도하는 것이 정당화된다.

지성함양 대신 종교를 믿고 권위에 순종하며 영성적 목표를 따르는 길도 있다. 그러나 기독교 회교 등을 국교로서 강제하는 나라가 아니면 다수 백성이 따르지를 않으니 지성함양이야말로 보편적인 백성구원의 길이라 할 수 있다.

만리의 주장은 계속되었다.

- 만약 우리나라가 원래 문자를 알지 못하여 결승(結繩)하는 시대에 있다면 즉각 언문을 차용하여 임시로 사용하는 것은 오히려 가할 것입니다.

한국민족이 문자가 없는 미개민족이어서 원시적인 결승문자로 소통하는 사회라면 일상 말을 그대로 적는 언문이라도 사용하는 것이 문명의 발전일 것이다. 하지만 일상어 그 이상의 학문을 기록하는 우리의 문자문화는 진보된 것이니 구태여 낮은 상태로 갈 필요가 없다는 것이었다.

- 그렇더라도 바른 의논을 하는 자가 있다면 언문을 임시방편으로 사용하는 것보다는 다소 번거로울 듯해도 중국에서 통용하는 문자를 습득(習得)하여 학문발전을 위한 오랜 계책을 세우는 것이 현명하다고 주장할 것입니다. 하물며 이두는 시행한 지 수천 년이나 되어 부서(簿書)나 기회(期會) 등에 방애(防礙)됨이 없사온데 어찌 따로 비

속한 상말의 글자를 창제하시나이까.

결승문자밖에 없어 글자가 시급히 요구되는 사회라면 언문으로라도 일상말을 적을 수단이 필요하지만 그렇다 해도 그 사회에서 긴 안목으로 민족공동체의 앞날을 생각하는 현자가 있다면 비록 당장에는 일상말과 일치하지 않아 사용이 불편하더라도 중국의 선진사회에서 쓰이는 문자를 배워 사용하여 중화선진문명과 어깨를 나란히 하는 그런 민족공동체로 발전해나가도록 하자고 주장하리라는 것이다. 본래 중화 아닌 오랑캐의 사회일지라도 중화의 선진문명으로 편입하고자 애써야 마땅할진대 조선은 오래도록 이두를 써와서 중화선진문명사회의 궤도에 이미 올라와 있는데 어찌 그 아래 단계로 갈 것이냐는 호소였다. 만리는 일상어의 기록 그 자체는 문자의 진정한 기능으로 보지 않았다. 性이나 理처럼 진리를 구성하는 각각의 의미를 나타내는 것이라야 진정한 문자라고 보았다.

- 언문이 널리 쓰이면 관리된 자가 오로지 언문만을 습득하고 학문하는 문자를 돌보지 않아서 이원(吏員)이 둘로 나뉘다 이윽고 소인의 무리가 득세할 것이옵니다. 스무 남짓 언문만으로 족히 관리가 되어 출세하는데 이후로 무엇 때문에 고심노사(苦心勞思)하여 성리(性理)의 학문을 궁리하려 하겠습니까.

언문이 널리 보급되어 쓰이면 언문만으로도 일상의 사무처리를 할 수 있으니 관리에게는 학문하는 것이 필수가 아니게 된다. 그래서 기존의 관리집단에 학문을 모르는 자들이 더해져서 먼저 낮은 자리부터 두 부류의 공직자로 나뉘게 된다는 것이었다.

공직은 생활에 쫓기는 일반백성의 눈으로 볼 때 혜택이 큰 자리이다. 공직에 있는 자가 자기의 생계만을 생각하면 나태와 부정에 빠져든다. 공익을 위한 자기헌신의 가치를 인식하려면 학문의 바탕이 있어야 하는데 앞으로 언문만으로 등용이 되면 학문의 지식이 등용의 조건이 되지 않아 우주의 진리와 세상의 도리에는 관심이 없는 소인배들이 생계방편으로 다수 공직에 진출한다는 것이었다.

- 이렇게 되면 수십 년 후에는 문자를 아는 자가 적어져서 비록 언문으로써 능히 이사(吏事)를 집행한다 할지라도 성현의 문자를 배우지 않아서 사리의 옳고 그름에 어두울 것이오니 언문에만 능숙한들 장차 무엇에 쓸 것이옵니까. 이 땅에서 오래 쌓아온 우문(右文)의 교화가 땅을 쓸어버린 듯 없어질까 두렵습니다. 이두가 비록 문자로 이루어졌어도 유식한 사람은 야비하게 여겨 이문(吏文)으로 바꾸려 해왔는데 하물며 언문은 문자와 조금도 관련됨이 없고 오로지 상말을 적은 것이옵니다. 이런 언문이 설령 전조 때부터 있었다고 해도 오늘날의 문명한 정치로 백성을 계몽하여 변로지도(變魯至道)하는 중에는 반드시 개선의 주장이 있을 것임은 밝은 이치이옵니다. 옛 것을 싫어하고 새 것을 좋아하는 경향은 고금에 통한 우환이온데 언문은 새롭고 기이한 하나의 기예(技藝)에 지나지 못하여 학문에는 손해됨

이 있고 정치에는 유익함이 없으니 신등은 아무리 되풀이하여 생각하여도 그 옳은 것을 볼 수 없사옵니다.

만리가 예상한 수십년후의 현상은 일어나지 않았다. 세종왕은 한자를 변함없이 국가공식문자로 지정했기 때문이었다. 학문을 전하는 문자로 백성을 교화하며 살아온 이 나라의 업적이 땅을 갈아엎듯이 말살될까 했던 만리의 우려는 왕조가 바뀐 시대라고 할 대한민국의 정부수립 수십 년 후에야 일어났다.

이두는 한자로 되어 있지만 일상말의 기록을 그대로 쓰는 것에 흥미를 잃은 유식계층이 실용중국어에 가까운 외교문서인 이문을 쓰려는 경향이 있었다. 사람에게 학식이 들어가면 조금이라도 지식이 함축된 글을 사용하고 싶은 것은 인지상정인데 현학(衒學)을 증오하고 쉬움과 언문일치를 신봉하는 입장에서는 이러한 경향은 배격의 대상이지만 만리의 사고방식은 사람은 모든 경우에 할 수만 있다면 지성을 더 길러야하고 글의 사용은 지식의 농도를 짙게 해야 한다는 것이었다. 그런데 언문과 같은 글쓰기는 지식의 함축을 추구하지 않아 당금의 문화양식보다 후진적인데 오히려 만약에 과거 고려시대에 언문과 같은 글이 있었다고 가정한다더라도 지금 조선의 선진사회에서는 백성모두를 군자로 이끌기 위하여 그대로 물려받지 않고 개선함으로써 우매함을 변화시켜 도를 깨치도록 해야 마땅할 것인데 언문을 창제하여 반포함은 지금 이미 선진문화의 길을 가고 있는 마당에 후진적인 문화로 역행하는 것이라는 주장이었다. 이러한 걱정은 모두 언문을 국자(國字)로 지정하는 경우를 예정한 것이니 세종이 보기에는 기우(杞憂)에 지나지 않는 것이었다.

왕은 듣기만하다 다시 한마디를 더했다.

- 형살(濫殺)에 대한 옥사(獄辭)를 이두로 쓴다면 문리(文理)를 알지 못하는 어리석은 백성이 혹 원통함을 당할 수도 있으나 언문으로 직접 써 보이면 지극히 어리석은 사람일지라도 쉽게 알아보아서 억울함을 품을 자가 없을 것이라.

왕은 언문의 효용성을 말했지만 이 역시 만리는 반박했다.

- 예로부터 중국은 말과 글이 같아도 옥송(獄訟) 사이에 원왕(冤枉)한 것이 심히 많습니다. 우리의 경우도 이두를 해득하는 죄수가 초사(招辭)를 읽고 허위인 줄을 알면서도 매를 견디지 못하여 거짓 자백하는 일이 많사오니 이는 초사의 글 뜻을 알지 못하여 원통함을 당하는 것이 아니옵니다. 그러하면 비록 언문을 쓴다 할지라도 무엇이 달라지오리까. 이는 형옥(刑獄)의 공평여부가 옥리(獄吏)의 자질에 있고 언문(言文)의 일치여부에 있지 않은 것이오니 언문(諺文)으로써 옥사를 공평히 함은 신등은 가한 줄 알지 못하옵니다. 오히려 형옥 등의 말단관리가 학문을 하지 않고 입신하여 소인배의 목적으로 사리(私利)를 추구함에 따른 비리가 많아질 것입니다. 한비자(韓非子)에 보면 스승의 책이 간략하면 제자들은 내용에 관해 갖은 시비를 할

것이며 법률이 간략하면 백성은 빈번히 소송을 제기한다고 합니다. 그래서 성인(聖人)의 책은 반드시 논지(論旨)를 명확히 하고 있으며 현명한 군주는 법을 소상(昭詳)하게 만든다 하였는데 언문으로는 이것이 가하지 않사옵니다.

이러한 우려 역시 당대에는 일어나지 않았으나 이후 왕조가 바뀐 대한민국에서 정부수립 수십 년 후에 일어났다. 법률을 언문 즉 한글로만 나타내니 예를 들어 위력(威力)에 의한 간음과 위계(僞計)에 의한 간음을 국민들은 비슷한 말로 여기니 법조인이 아니면 법률용어의 뜻을 모르게 되고 심지어는 웬만한 법조인도 법률용어의 정확한 뜻을 모르고 법집행을 하게 되었다. 재판의 법률적 기준이 모호해지니 재판은 법조인의 개인적 성향과 정치적 압력에 좌우되는 일이 많았다. 그럼에도 국민들 사이에 재판에 의지하는 분쟁은 많아서 위에서는 소모적 정쟁이 그칠 새 없고 아래에서는 이웃 일본보다 훨씬 많은 소송사건이 횡행했다.

어떤 논객이 아침무상급식은 사회주의로 나아갈 수 있는 것이라는 발언을 하자 이것이 비약이라며 싸움이 일어났다. 그러나 그렇게 될 수 있다는 표현을 중국어에서 쓰이듯 能(그럴 가능성도 있다) 可能(아마도 거의 그렇게 될 것이다) 可以(그렇게 되어도 문제없고 괜찮다) 會(그렇게 될 타당성이 있다) 一定(반드시 그렇게 될 것이다) 등으로 세분화하여 표현한다면 오해는 일어날 것이 아니었다. 원시사회 혹은 동물의 사회가 싸움이 잦은 것은 의사소통이 문명인처럼 세분화되지 않았기 때문이니 의사소통이 조방(粗放)한 사회에서 싸움이 잦은 것은 당연하다.

- 무릇 사공(事功)을 세움에는 가깝고 빠른 것을 귀하게 여기지 않사온데 국가가 근래에 조치하는 것이 모두 빨리 이루는 것을 힘쓰니 두렵건대 이러한 것은 정치하는 체제가 아닌가 하옵니다. 만일에 언문은 필히 만들어야 하는 것이라면 이것은 풍속을 변하여 바꾸는 큰 일이므로 마땅히 재상으로부터 아래로는 백료(百僚)에 이르기까지 함께 의논하되 나라 사람이 모두 옳다 하여도 오히려 선갑(先甲) 선경(先庚)하여 다시 세 번을 더 생각하고 모든 제왕(帝王)에 물어보아 어그러지지 않고 중국에 상고하여 부끄러움이 없으며 백세(百世)라도 성인(聖人)이 강림하길 기다려 의혹됨이 없는 연후라야 시행할 만한 것이옵니다. 이제 넓게 여러 사람의 의논을 채택하지도 않고 갑자기 이배(吏輩) 십여 인으로 하여금 가르쳐 익히게 하며 또 가볍게 옛 사람이 이미 이룩한 운서(韻書)를 고치고 뜬금없이 언문을 부회(附會)하여 공장(工匠) 수십 인을 모아 각본(刻本)하여 급하게 널리 반포하려시니 천하 후세의 공의(公議)에 어떠하겠습니까. 이번 청주 초수리(椒水里)에 거동하심에도 연사(年事)가 흉년임을 염려하시어 호종(扈從)을 간략히 하시어 지난번에 비하여 십이 팔구로 줄었고 계달(啓達)의 공무도 간편히 정부에 위임하셨는데 언문 같은 것은 부

득이하게 기한에 마쳐야 할 국사(國事)도 아니온데 어찌 행재소(行在所)에서 급급히 하시어 성궁(聖躬)을 조섭(調攝)하심에 번거롭게 하시나이까. 신등은 더욱 그 옳음을 알지 못하겠나이다.

기존의 운서를 고쳐 씀을 염려한 것은 사성과 칠음을 고려하여 있는 발음법을 함부로 간략히 함을 경계한 것이었다. 장단고저를 제외한 자모음만으로는 일상말마저도 정확히 적을 수 없음을 지적한 것이었다. 언문의 창제는 장기적으로 신중히 처리되어야 할 일인데 집현전 학사들과의 충분한 논의도 없이 너무 빨리 진행되며 특히 왕이 출장을 나와 있는 중에도 몸을 돌보지 않고 서둘러 진행하는 것이 안타깝다는 것이었다.

지루하게 이어지는 장광설은 독자도 지루할 것인데 하물며 애초에 듣고 싶지 않았던 왕은 얼마나 지루했을까. 그러나 아직도 끝나지 않았다.

- 선유(先儒)가 이르기를 여러 가지 완호(玩好)는 대개 지기(志氣)를 빼앗는다하였고 서찰(書札)에 이르러서는 유자(儒者)의 하는 일에 가장 가까운 것이나 외곬으로 그것만 좋아하면 또한 자연히 지기가 상실된다 하였습니다. 이제 동궁(東宮)이 비록 덕성이 성취되셨다 할지라도 아직은 성학(聖學)에 잠심(潛心)하시어 더욱 그 이르지 못한 것을 궁구해야 할 것입니다. 언문이 비록 유익하다 이를지라도 특히 문사(文士)의 육예(六藝)의 한 가지일 뿐이옵니다. 하물며 만에 하

나도 정치하는 도리에 유익됨이 없사온데 정신을 소모하고 사려를 허비하며 시일을 보내시니 때를 놓치지 마셔야 할 학업에 참으로 손실입니다. 신등이 모두 문묵(文墨)의 보잘것없는 재주로 시종(侍從)에 대죄(待罪)하오니 마음에 품은 바가 있으면 감히 함묵(含默)할 수 없어서 삼가 폐부(肺腑)를 다하여 우러러 성총(聖聰)을 어지럽히나이다.

세자가 언문창제에 관여하는 것은 백성을 다스리는 성현의 진리를 하나라도 더 배워야 할 때에 시일을 올바로 사용하지 않는 것 즉 시간낭비라는 것이었다.

이에 왕이 이르기를

- 너희가 음을 따라 합자(合字)한 것이 옛 관행에 위배된다했는데 설총(薛聰)의 이두(吏讀)도 역시 음을 달리한 것이 아니냐. 이두를 제작한 의도는 백성을 편리하게 함이 아니냐. 언문도 백성을 편리하게 하려 함이다. 너희가 설총은 옳다면서 군상(君上)의 일을 그르다 하느냐. 너희가 운서(韻書)를 아느냐. 사성칠음(四聲七音)이 무엇이고 자모음이 몇인지 아느냐. 내가 운서를 바로잡지 않으면 누가 바로잡을 것이냐. 또 언문을 신기일예(新奇一藝)라 하였는데 내가 늙어 달리 소일할 것이 서적을 벗할 뿐인데 어찌 옛 것을 싫어하고 새 것을 좋아하는 따위이겠느냐. 벌판에 매를 날려 사냥놀이 하는 재주가 아닌데 너희의 발언은 지나치다. 내가 나이 많아 국가의 서무(庶務)를

세자가 전장(專掌)하니 세미(細微)한 일이라도 참결(參決)함이 당연한데 하물며 언문이겠느냐. 세자를 항상 동궁에만 있게 한다면 환관(宦官)에게 맡길 것이냐. 너희들은 시종하는 신하로서 내 뜻을 잘 알텐데 이러한 말은 당치않다.

하니 만리 등은 다시 대답하기를,

- 설총의 이두는 음을 달리한 것이긴 하나 음과 뜻이 어우러져 말씀이 문자와 조화를 이루는데 언문은 글자를 합해서 음이 만들어질 뿐 의미 있는 문자의 형태가 나오는 것이 아닙니다. 신기일예라 한 것은 글자의 구조를 말한 것이고 다른 뜻이 없사옵니다. 동궁은 공사(公事)라면 세사(細事)라도 참결하시나 급하지 않은 일에 날을 보내며 심려는 마셔야 않겠사옵니까.

하였다. 왕이 답하기를,

- 전번에 김문(金汶)이 아뢰기를 언문을 제작함에 불가할 것은 없다하였는데 지금은 도리어 불가하다 하고 정창손은 삼강행실을 반포해도 충신효자열녀의 무리가 나오지 않음은 사람의 행위는 그 자질에 있으니 언문으로 번역한다고 어찌 효과를 보겠나 했는데 이런게 어찌 유자(儒者)의 양식에 따른 말이냐. 너희들은 속유(俗儒)라고나 해야겠다.

전에 왕은 창손에게 언문으로 삼강행실을 번역하여 민간에 반포하면 어리석은 남녀가 모두 쉽게 깨달아서 충신 효자 열녀가 반드시 무리로 나올 것이라고 했지만 창손은 사람의 부류는 타고나는 것이니 소용없다는 답을 올린 것이었다.

창손의 견해는 현생에서의 교육으로 단번에 靈格이 높아지기란 가능성이 적은 것이기 때문에 일면 타당하면서도 비록 윤생을 거듭해야 겨우 가능한 것일지라도 현생에서 최대한 靈格의 상승을 꾀하여야 한다는 유교와 성리학을 포함한 모든 종교의 공통되는 목적에는 위배되는 주장이었다.

지금도 가정에서의 남자의 가사돕기 등 국민이 진보정치의 가치에 맞는 행실을 하게하고자 교육시키는 일이 잦다. 그러나 교육시킨다고 사람의 행실이 단번에 진보주의적으로 되는 것은 아니다. 결국 교육이후에도 따르지 않는 국민에게 불이익을 주어 진보주의에 맞지 않은 국민은 도태시키려는 의도가 된다.

사람의 부류는 타고나니 그대로 두어야 한다는 견해는 오히려 여러 부류가 지상에서 공존하도록 하는 진보적인 상생의 가치일지 모른다.

- 내가 너희들을 부른 것은 처음부터 죄주려 한 것이 아니고, 다만 소(疏) 안에 한두 가지 말을 물으려던 것인데 너희들이 사리를 돌아보지 않고 말을 변하여 대답하니 너희들의 죄는 벗기 어렵다.

왕은 결국 상소를 물리치고 더 이상 못 참겠다하여 하옥을 명령했다.

부제학(副提學) 최만리(崔萬理) 직제학(直提學)　김문(金汶) 응교(應敎)　정창손(鄭昌孫) 등을 의금부에 내렸다가 이튿날 석방하라 명하고 김문이 앞뒤에 말을 변하여 계달한 사유를 국문(鞫問)하여 아뢰라고 하였다. 다만 삼강행실의 번역간행이 소용없다며 백성을 경멸한 정창손만은 파직(罷職)시켰다.

김문은 국문을 받을 때 진정한 사유를 말하지 않고 비밀로 했다. 그저 개인적으로 유학자들의 편에 서면 좋을 것 같아서 그랬다고만 답했다. 왕조가 바뀐 이후의 광경을 환상으로 보고나서 염려가 되어 그랬다는 것은 현재의 왕에 불경(不敬)스러울뿐더러 왕의 진노를 무릅쓰고 고백할 만한 것이 아니었기에 그저 자신의 기회주의적 처신이라고 덮어썼다.

- 상감께서 역시 부제학을 아끼십니다.

- 행수 이제 상감의 일에 협조하시지요.

석방 된 후 집현전 학사들은 환영했으나 만리는 전혀 다행스럽게 여기거나 기뻐하지 않았다.

- 이대로 목숨을 내놓아도 되었을 것을... 훗날 조선의 백성이 학문을 모르는 백성이 될 것이 걱정스럽습니다. 훗날 조선의 백성은 행수(行首)라는 간단한 말도 할 줄을 몰라 먼나라 오랑캐의 복잡하고 긴 자구(字句)를 뜻도 모르면서 따라 부를 겁니다. 나는 관직을 사퇴하고 은거할 것입니다.

만리가 말한 먼나라 오랑캐의 뜻도 모르는 긴 말이란 것은 흔히 사장을 멋들어지게 부르고자 할 때 쓰는 씨이오(Chief Executive officer)였다. 집현전에는 대제학(大提學)이 있지만 명예직으로서 업무에 관여하지 않으니 부제학이 실제로 업무를 행하는 자들 중의 우두머리란 뜻으로 행수라고 하는데 이것은 현대의 기업에서 회장이나 대주주가 기업에 그다지 관여하지 않을 때 실제 업무를 보는 자들 중에서 가장 우두머리라는 씨이오와 정확히 일치한다. 그러나 지금의 한국인은 씨이오라는 말은 본래 뜻은 몰라도 그럭저럭 따라 사용하지만 행수라 한다면 알지 못할 것이었다.

만리의 고집을 꺾지 못한 성삼문 박팽년 등은 그의 입장을 이해하면서

- 행수의 길은 훗날의 더 큰 화를 면하기 위한 것이었을지 모르오.

하고 위로했다.

최만리와 김문은 왕에게서 극형을 받지는 않았지만 군자를 자처하는 자들에게 의지가 꺾임은 죽음과 같았다.

세종은 이 나라를 이끌어갈 방향을 정하는데 있어서 부왕 태종을 이어 상대방 靈侖의 의지를 꺾어 단절한 것이었다. 태종과 훗날 세조의 정변은 왕권을 강화하고 신권을 제약하여 이 나라를 이끌어가는 권력이 왕격신명단이 아닌 사대부가의 靈侖으로 넘어가는 것을 막는 것이었는데 세종 또한 상대방의 현생을 중지시키는 방법을 쓰지 않

았다 뿐이지 태조 세종 세조 모두 王權을 향한 臣權의 도전을 꺾음으로써 같은 업을 진행한 것이었다. 세종 때에 왕권과 신권이 조화로이 정립되었다면 훗날 세조의 정변은 없었을 것이다.

소리글자인가 쉬운 글자인가

신미는 훗날 사람들의 지혜가 발달되어 언문과 진서가 쉽게 서로 변환될 수 있으리라 보았다. 그래서 새로 창제할 언문이 되도록 한문의 의미를 온전히 포함하게 하고 싶었다. 그러나 이 과업에 관련되는 사람들의 생각은 각기 달랐다. 단지 학문지식이나 신앙적인 바탕만으로 다른 것이 아니라 각자의 사고방식에 따른 견해였다.

정창손은 삼강행실 같은 것을 굳이 일반백성에게 가르쳐야 옳은 것이 아니라고 보았다. 상민은 불교의 윤회를 의지하며 위안을 받든가 아예 무교로 생존력의 시험단련을 하는 인생을 살든가해야지 부담스럽게 유교를 통해 양반가의 예의범절을 배울 필요가 없다고 보았다. 권리와 의무는 병행되어야 하는 것인데 권리를 주지 않은 상태에서의 사실상 의무와 같은 도덕률의 부과는 상민의 인생을 고통스럽게 하고 불만을 더해줄 뿐이라는 것이었다.

신숙주는 언문창제를 협조하되 쉬운 글자라는 가치를 내세워 그 표현능력을 제한하여 학문표현의 기능을 못하도록 하여 훗날에도 한문의 필요성이 사라지지 않도록 했다. 국왕의 방침에 협조하여 원만히 처세함과 더불어 지식계급으로서의 기득권도 지키는 현명한 노선을 걸었지만 조선시대에만 유효한 것이었다.

훈민정음의 창제과정에 큰 문제는 나라의 문화정책 전반을 관할하기로 되어 있는 儒臣들을 무시하고 실행해 왔다는 것이었다. 사태를 무마하는 길은 훈민정음 창제의 과업에 집현전의 유학자들이 큰 역할을 하는 것이었다. 유신들 모두가 창제를 반대하는 것은 아니니 하나하나가 창제과업에 역할을 더해나가다 보면 문제는 사라지게 될 것이었다.

왕은 정인지와 신숙주를 불러

- 나라의 학문을 관장하는 집현전에서 언문의 개발에 더 힘써주기를 바라오.

하고 당부했다. 이미 최만리의 상소문은 거부되었고 훈민정음의 창제는 공식 어명으로 자리했다.

정인지는 답했다.

- 신등이 전하께서 제시하신 정음의 창제원리를 살펴보건대 깊은

연원(淵源)과 정밀한 뜻이 묘연하여 황공하옵게도 신등이 능력을 발휘할 만한 것이 아니오라 여겨지옵니다.

범어를 모르는 집현전 학사들로서는 신미가 고안한 정음 각 글자의 연원을 찾을 수가 없었던 것이었다.

신숙주는 답했다.

- 아뢰옵기 황공하오나 집현전 학자들은 칠음청탁사성(七音淸濁四聲)의 이치도 모르고 재식(才識)이 천단(淺短)하고 학문이 고루(孤陋)하여 전하의 하교(下敎)에는 봉승미달(奉承未達)이옵니다.

왕은 대표학사들이 집현전의 전부가 아님을 지적했다.

- 집현전 내에도 칠음청탁사성을 이해하는 학자가 있을 것이니 함께 언문개발을 행하도록 지도하시오.

집현전 내에서는 이미 수온이 신미의 지도를 받아 언문의 개발 작업을 하고 있었다. 형식적으로나마 정인지와 신숙주 등 다수 집현전의 유학자들이 정식으로 언문개발에 참여하여 더 이상 집현전에서 정음창제를 반대하는 사태가 일어나지 않도록 했다.

신미 스스로도 집현전 학사의 자격으로 훈민정음 창제를 위해 설립된 기관인 정음청(正音廳)에서 정음창제와 언해작업을 했다. 새로 만들 글자의 이름도 말씀을 그대로 적는다는 언문이라는 호칭이 아니라 백성에게 바른 소리를 가르친다는 훈민정음으로 부르기로 했다.

- 진서에는 같은 자모음절과 같은 성조(聲調)를 가지면서도 뜻이 다른 많은 문자들이 많이 있습니다. 이러한 동음이의자(同音異義字)를 정음(正音字)로 모두 분별할 수 있다면 정음으로도 학문수학이 기능하겠지만 이는 사실상 불가능하고 적어도 문자의 발음까지는 모두 분별이 가능해야 참으로 정음이 될 것입니다. 정음의 문자 체계에 사성을 구분할 기호를 더해야 하겠습니다.

신미와 수온은 어젯밤 밤새 고민한 문제를 정인지 신숙주와 상의했다.

- 초중종성을 합서(合書)함으로써 진서에 못지않은 문자의 조화미를 갖춘 것이 이제까지의 정음개발의 성과인데 여기다 또 다른 기호를 더한다면 글자의 모양이 달라질 것인데 어떻게 더하시려 합니까.

신숙주는 물었다.

- 현재 정확한 발음을 표시하고자 임시방편으로 글자 왼쪽에 방점을 찍고 있는데 방점이 하나 혹은 두 개 있어야 할 경우엔 모음글자의 획을 연장하여 글자와 어우러져 필기해야 할 것입니다. 지금의 생각으로는 글자의 모음이 자리한 오른쪽이나 아래쪽에 거성(去聲)의 경우에는 방점하나 대신에 어진사람 인(儿)자와도 같이 위로 삐치는 획을 더해 높고 짧은 소리를 나타내고 상성(上聲)의 경우에는 방점 둘 대신에 우부방 읍(阝)자와도 같이 왕복하는 획을 더해 낮은 음에서 높은 음으로 올라가는 긴소리를 나타내고자 합니다.

구상한 바의 설명은 수온이 했다. 신미는 옆에서 가만히 있는 게 승려로서 자연스러웠다. 지그시 눈을 내리깔고 속으로 염불을 하듯 앉아있으면 충분했다.

- 너무 복잡하고 어렵지 않소이까. 이번에 우리가 정음을 만드는 것은 어리석은 백성이 자기 뜻을 글자로 기록하도록 하자는 것인데 이런 식으로는 단지 음문자일 뿐이지 범문(梵文)이나 다름이 없이 어렵겠소이다. 그렇다면 백성모두에게 범문을 가르치겠다는 것이나 다름이 없는 것이 아니겠소.

정인지의 반대는 혹여나 이 나라를 불교문화의 나라로 돌리려는 불교세력의 의도가 있지 않느냐 의심하는 듯했다. 범문 즉 실담자와 같은 글자를 통용하면 불교의 경전은 널리 보급되고 반면에 유교의 경전은 위축될 것이었다.

사실 정음창제의 목적이 소리글자를 만드는 것이냐 아니면 백성이 익히기 쉬운 글자를 만드는 것이냐 어느 쪽이 목적인지는 분명히 짚고 넘어갈 필요가 있었다.

신미가 속염불을 마치고 무언가 한 마디 하려는 준비가 된듯한데 먼저의 대담자였던 수온이 얼른 답했다.

- 그렇지 않으면 사성(四聲)을 나타내기 위해서 방점이 필요한데 이미 있는 자모음 글자체계와는 별도로 점을 찍는다는 것은 어렵고 번거롭습니다. 엄연히 발성의 중요한 요소인데 글자와는 별도의 것

처럼 보이니 앞으로 소홀히 취급될 것 같고 그리하다간 백성에게 正音을 가르치는 소임을 못해낼까 염려됩니다.

정인지와 신숙주는 가볍게 끄덕였다. 신미도 이윽고 발설했다.

- 당장은 이대로 발표하여도 큰 문제는 없겠으나 걱정되는 것은 백성들이 언문을 읽으면서 글자와 별도로 적힌 방점을 점차 소홀히 할 것 같아 아예 글자의 체제 속에 성조표시를 포함해야 백성이 글자에 의해 말씀을 온전하게 소통하여 지혜를 기를 것이란 생각입니다.

백성에게 다소 어렵더라도 올바른 발음을 가르치자는 것인데 이에 대한 반론이 나왔다.

- 본래 집현전의 입장은 백성이 이두를 사용하는 것이 비록 나날이 쓰기에 썩 편안하지는 않더라도 그 과정에서 문자를 익혀 백성도 학문의 길에 들어서게 하는 현재의 관행을 더욱 든든히 하자는 것이 아니었습니까. 허나 상감께서 우선 나날이 쓰임에 편안케 하고자 함을 우선하시어 정음을 창제하시도록 한 것이 아니겠습니까. 그렇다면 정음창제의 취지는 백성에게 자유를 주어 학문을 접하고 싶은 자는 접하되 또한 접하고 싶지 않은 자는 원치 않는 부담을 덜도록 하는 것입니다. 쉽고 편안한 글자가 되어야 할 정음의 획이 복잡하게 되면 백성에게 나날의 생업을 위해 필요한 노력 이외의 부담을 주게 됩니다. 백성이 필요한 것은 사단칠정(四端七情)이 어떻고 따위가 아

니라 분쟁과 재물에서 이익을 취하기 위한 송사 때 자기의 뜻을 실어서 기록하여 보여주는 것인데 그를 위해서는 자모음에 의한 언문표기로 충분한 것이외다.

정인지와 신숙주는 훈민정음창제의 기본원칙을 백성이 사용하기 쉽고 편하게 하는 것으로 확신했다. 최만리가 주도한 상소에 내심 공감이 가긴 했지만 왕의 뜻이 단호하고 이미 상당히 진척되었던 것을 파악하고는 정음창제는 막을 수 없는 대세임을 감지했다. 이제 성리학과 중화문명을 지키는 길은 한자만이 학문을 표기할 수 있는 글자로 남게 하는 것이다. 정음의 창제가 백성누구나 쉽게 배울 수 있는 것을 목적으로 하고 있으니 그 기세를 타고 정음은 쉽고 단순해야 한다는 것을 주장할 수 있어 학문표기수단으로서의 한자와 한문의 우월적 위상을 유지하는 효과도 보는 것이었다.

- 범어는 우리의 일상말과 전혀 다른 것이니 특별히 불경(佛經)을 연구하려는 자 이외에는 학습해야 할 필요는 없지만 정음이 우리의 말씀을 온전하게 나타내면 진서를 아는 백성에게는 진서의 음독(音讀)에 도움을 주어 학문을 배우는데 부족함이 없게 할 것이며 진서를 모르는 백성이라도 자기의 분에 맞을 만큼 배워 쓰며 지혜를 길러갈 수 있을 것입니다.

신미와 수온은 할 수 있는 대로 정음이 나랏말씀의 발음을 제대로 나타내게 하고 싶었으나 정음창제를 함께하는 유학자들은 백성에게 쉬운 글을 보급한다는 취지를 강조하면서도 학문을 하는 문자인 한문의 독점적 위상도 유지하려는 일석이조의 명분을 내세웠다.

- 자기 뜻을 실어 펼치는 일을 분에 맞을 만큼만 할 백성은 방점 없이 그냥 편히 쓰도록 하면 되고 그보다 더 공부를 할 역량이 되는 자는 방점에 따른 올바른 발음을 익히되 진서에 의한 완전한 학문을 배우도록 하는 것이 옳겠습니다. 대사께서 편찬하신 본보기 번역문을 본 바 진서의 어휘가 아닌 우리의 언문어절(순우리말 단어)들은 자모음이 같으나 성조가 다른 경우가 그다지 많지 않은데 본관의 생각에는 앞으로 문장 중에 진서의 어휘는 진서 그대로 적으면 되는 것이고 언문어절은 설령 방점이 없거나 틀렸다고 해도 그다지 혼동이 될 일은 많지 않습니다. 무엇보다도 정음창제의 가장 큰 목적은 백성에게 편하게 쓰임받기 위함입니다.

숙주는 정음창제의 방향을 분명히 했다. 신미는 문자의 창제에 정치적인 의도가 개입되는 것은 부당하며 문자의 기능을 인간이 의도적으로 제한하는 행위는 문수보살의 뜻에도 어긋나는 것이라 여겨져 되도록 그런 일이 없게 하고 싶었다.

- 비록 편하게 쓰인다 하더라도 백성이 표현할 정서가 제한되지는 말아야 할 것이겠습니다.

- 대사께서는 진서를 배우지 않고도 시문과 진리를 논할 수 있어야 한다는 말씀 같은데 우리가 그래야 할 이유가 없습니다. 우리는

삼한 땅에서 수천년 중화의 문명을 이어오며 진서를 우리 문자로 사용해온 나라입니다. 지난날 몽고의 오랑캐가 대중화를 점령하고 우리 소중화까지 억압할 때에도 우리가 그들의 음문자를 수입하고 그들에게 동화되었다면 훨씬 지내기 편했을 것이지만 우리는 꿋꿋이 우리의 전통문화를 지켜냈소이다. 하물며 지금 전하의 은덕으로 북방의 오랑캐는 우리를 넘보지 못하고 바다건너 대중화와도 우의를 다지고 있는 중에 우리문화의 중심(重心)을 혼동시킨다는 것은 있을 수 없는 것입니다. 극단가객의 노래도 어차피 저마다의 음률이 있으니 저들의 제자에게 구전(口傳)하든가 악보로 기록하면 되고 가사는 성조가 배제된 언문으로 충분합니다. 백성에게 언문이 특히 사용될 때는 소송의 일인데 여기서도 언어의 기록은 단순해야 어리석은 백성이 자기 뜻을 기록하고 증거로 삼을 수가 있을 것입니다. 정음문자의 구성에 더 이상의 복잡한 획을 넣지 않는 것으로 합시다. 백성에게 쉬운 문자를 배포하여 어리석은 자도 쉬이 깨칠 수 있어 제 뜻을 글월에 실을 수 있도록 하는 것은 전하의 뜻임을 모두들 아시지 않습니까.

정인지는 반대의 의사표시를 하면서 집현전의 위계상 하급에 있는 신미와 수온에게의 어조를 더 정중히 했다. 정음창제의 취지를 동의하고 반목 없이 좋은 나라건설에 함께하자는 뜻이었다. 정식으로 왕에게 더 가까운 위치에 있는 정인지가 전하의 뜻임을 밝히니 신미와 수온은 더 주장할 것이 없었다.

이렇게 하여 훈민정음은 반포되고 이를 활용한 불경의 번역사업도 전개되었다.

우리말로 쓴 석보상절

왕은 五子 광평대군(廣平大君)을 잃은 다음해 七子 평원대군(平原大君)을 잃고 또 다음해에는 소헌왕후(昭憲王后)를 잃었다. 인생무상의 충격은 병환이 되었다.

지상의 뭇사람을 마음대로 움직이고 그들의 운명도 바꿀 권세가 있어도 가족의 운명은 바꾸지 못했다.

왕의 권한은 사람의 운명을 바꿀 수 있되 상을 주어 운을 트여주거나 벌을 주어 운을 막을 정도이고 정작 가장 중요한 생명에 관해서는 죽일 수는 있지만 살릴 수는 없는 불균형한 권한이었다.

어찌 보면 사람을 살릴 권한도 있는지도 모르겠다. 왕은 아내를 마음대로 숱하게 거느려 많은 아이를 세상에 살려 내보낼 수 있다. 다만 아쉬운 것은 이미 세상을 함께 살아 정이 들었고 삶의 활력을 위해서도 필요로 하고 있는 가족친지의 생명을 마음대로 연장하지 못한다는 것이다.

이런 모순되고 억지스러운 인간의 삶을 그저 욕구가 지시하는 대로 살아간다고 해서 될 것인가. 왕의 권한으로 세상의 물자를 불러 모은다고 해도 그 다음은 무엇인지 해답이 없다.

왕은 수양을 불렀다.

- 우리가 현생에 할 수 있는 한 공덕을 쌓아야 우리의 영륜이 영원토록 복락을 누릴 것이다. 석가세존님의 일대기를 백성모두가 읽도록 우리말로 번역하여 출간하라.

- 분부받들어 시행하겠습니다. 내불당에서 작업하면 되겠습니까.

- 신미대사와 함께하면 형통할 것이다.

내불당에 수양이 찾아와 왕의 뜻을 알렸다. 수양으로서는 앞으로 신미와 더욱 가깝게 지낼 구실이 생겨 좋은 일이었다. 신미도 스스로 공부했던 내용을 말씀그대로 글로 적어 백성에게 전파할 것이라니 기쁜 일이었다.

신미는 수양과 함께 토론하며 내용을 적어나갔다.

- 부처님이 제국(諸國)을 다니며 교화하시다 광엄성(廣嚴城)에 가시어 낙음수(樂音樹) 아래 계시니 큰 비구 팔천인과 큰 보살 마가살(摩訶薩) 삼만육천과 국왕과 대신(大臣)과 승려 그리고 부요한 거사

(居士)들 게다가 천룡(天龍) 야차(夜叉)까지 사람이건 아니건 무량대중(無量大衆)이 공경하여 둘러싸니 저들을 위해 설법하셨다합니다. 그 때에 문수사리(文殊師利)가 세존께 여쭙되 부처님의 이름과 부처님의 본래부터의 가장 큰 원하시는 바와 부처님의 가장 좋으신 공덕을 펴 이르도록 하여 듣는 사람의 업장(業障)이 사라지도록 함이 상법시(像法時)에도 이어져 뭇 유정(有情)에 이락(利樂)되고자하나이다 하셨다합니다.

수양이 경전을 읽고 이를 우리말로 읊으면 신미는 해설해주면서 함께 번역문을 적어나갔다.

- 업장의 障은 막는 것이니 번뇌(煩惱)가 가려 열반(涅槃)을 막고 무명(無明)이 가려 보리(菩提)를 막는 것입니다.

- 번뇌와 열반은 대강 알지만 무명과 보리는 잘 모르겠습니다.

- 무명은 佛法의 참뜻을 깨치지 않은 상태입니다. 보리는 도(道) 지(智) 각(覺)을 통해 열반에 오르는 오도(悟道)입니다.

- 像法의 시대는 지금을 말합니까.

- 그렇습니다. 佛法이 처음 열려 성행하면서 교법수행의 증과(證果)가 완전하여 사람이 佛法을 제대로 알던 정법시(正法時)는 천년전에 끝났습니다. 지금은 부처님이 지상에 계시던 때로부터 멀어지니 사람이 그 말씀을 쉽게 못 알아서 어떤 실제의 예를 들거나 이런저런 좋은 일 나쁜 일을 비교해봐야 알게 되는 像法時입니다. 像은 비슷하

거나 같음인데 세상 사람들은 도리를 지키려 하나 명확한 지침이 없어 헤맬 것이니 지혜를 담당한 문수사리께서는 이러한 像法時가 올 것을 아시어 그대로라면 절과 탑과 불상 같은 물적인 상징만 중시할 像法時의 사람들을 위해 부처님의 말씀을 기록하여 가르침의 자료로 두고자 하셨습니다.

- 이다음에 정녕 말법시(末法時)는 오겠습니까.

- 末法時의 징조는 지금도 나타나고 있습니다. 유교의 나라가 되었다고 하여 불경을 폐하자는 신료가 적지 않고 또 아뢰기 황공하나 수십 년 이내로 이 땅에는 법난(法難)이 올 것이라 예견되어집니다.

- 상감마마께서 불심이 깊으시고 동궁께서도 불도에 온후(溫厚)하시고 우리 동기(同氣)들도 불심이 깊으니 그럴 일은 없을 것입니다. 비록 태종대왕 때 나라의 기틀을 잡고자 고려 때 사찰에 쌓였던 폐단을 일부 정리하셨지만 앞으로의 조선은 국가질서유지를 위한 유교와 만민영혼구원을 위한 불교가 서로 어우러져 협조하며 군자국을 이뤄나갈 것입니다.

- 앞으로 올 末法時의 불교는 새롭고 역동성 있는 사상들을 포용하여 보완하는 것이 소명이라고 소승도 생각하고 있습니다. 다만 그들 새로운 역동적인 사상들이 저들을 받쳐주는 사상인 불교 보기를 타도의 대상으로 볼까 염려되는 것입니다.

- 유신(儒臣)들의 지나친 주장은 왕실에서 제어할 것입니다.

신미는 더 대답 않고 합장했다. 신미가 보는 것은 단지 당시뿐이 아니라 그로부터 수백년 후 末法時도 한창이 되었을 때의 새로운 사상의 도래 앞에 불교가 처할 위치였다. 다만 그 때는 이미 조선왕조의 국가지도 소명은 끝난 시기이니 굳이 설명할 것은 없었다.

수양은 경전의 다음 장을 펼쳤다.

- 부처님께서 문수사리에게 이르시되 동방으로 강가의 모래처럼 많은 불토(佛土)를 지나 정유리(淨琉璃)가 있고 그곳 부처님의 이름은 藥師琉璃光如來 應供 正遍知 明行足 善逝 世間解 無上士 調御丈夫 天人師 佛世尊(약사유리광여래 응공 정변지 명행족 선서 세간해 무상사 조어장부 천인사 불세존)이라 하는데 도리를 행하실 적에는 열두 대원(大願)을 구하셔서 무릇 유정이 구하는 일을 다 얻게 하신다고 했습니다.

- 淨유리는 청정한 약사여래의 국토입니다. 여래로부터 세존에 이르는 부처님의 열 가지 호(號)에서 應은 마땅하심이니 應供은 일체의 천지중생의 공양을 받으심이 마땅함이고 正遍知는 바르게 두루 갖추어 아심이고 明行足은 밝은 행태를 가지심이고 善은 좋은 것 逝는 가는 것이니 善逝는 고통스런 생사윤회의 강을 건너가심이고 解는 아는 것이니 世間解는 훌륭히 부처의 경지에 이르셔 世間의 일을 다 이해하심이고 士는 학문을 닦은 선비의 뜻은 물론이고 무사(武士) 병사(兵士)와 같이 중요한 임무를 해내는 어진 남자를 말하니 無上士는

더할 나위 없으신 가장 높은 어른이심이고 調御는 조화로이 잘 다스림이고 丈夫는 늠름한 남자인데 부처님이 여자를 조어하신다하면 존중을 드리지 아니하는 것이어서 調御丈夫는 장부를 조어하신다 함이고 天人師는 하늘과 사람의 스승이심을 말합니다.

수양은 열두 大願을 하나하나 살펴보았다.

第一大願 願我來世得阿耨多羅三藐三菩提時 自身光明熾然照曜無量無數無邊世界 以三十二大丈夫相八十隨好莊嚴其身 令一切有情如我無異

第一 광명보조(光明普照)의 대원은 내세에 다뇩다라삼막함보리(阿耨多羅三藐三菩提)를 얻은 때 내 몸의 광명이 무량무수무변(無量無數無邊)의 세계에 치연조요(熾然照曜)하여 뭇 유정을 삼십이 가지 대장부의 모습에 팔십 가지 장신구로 장엄하게 치장하여 나하고 다르지 않게 하리라.

第二大願 願我來世得菩提時 身如琉璃內外明徹 淨無瑕穢 光明廣大功德巍巍 身善安住 焰網莊嚴過於日月 幽冥衆生悉蒙開曉 隨意所趣作諸事業

第二 수의혹변(隨意或辯)의 대원은 내세에 진리를 얻은 때 몸이 유리와 같아 내외가 명철하여 티와 허물이 없고 광명이 넓고 크며 공덕이 높고 높아 몸이 영원히 완전하며 불빛이 장엄히 번져 해와 달을 감추고 어둠의 중생이 모두 밝음을 얻어 무슨 과업이든 마음대로 가

능하리라.

第三大願 願我來世得菩提時 以無量無邊智慧方便 令諸有情皆得無盡所受用物 莫令衆生有所乏少

第三 시무주물(施無晝物)의 대원은 내세에 진리를 얻은 때 무량무변한 지혜의 방편으로 뭇 유정의 사용할 물질을 바라는 대로 주어 부족함이 없게 할 것이다.

第四大願 願我來世得菩提時 若諸有情行邪道者 悉令安住菩提道中 若行聲聞獨覺乘者 皆以大乘而安立之

第四 안립대승(安立大乘)의 대원은 내세에 진리를 얻은 때 비록 유정 중에 사도(邪道)에 빠지는 사람은 모두 안전하게 부처님의 길로 인도하고 설법을 듣고 혼자서만 깨달아 도를 구하려는 자가 있으면 안전히 대승의 길로 옮겨 세우리라.

第五大願 願我來世得菩提時 若有無量無邊有情於我法中修行梵行 一切皆令得不缺戒 具三聚戒 設有毁犯 聞我名已 還得淸淨 不墮惡趣

第五 구계청정(具戒淸淨)의 대원은 내세에 진리를 얻은 때 나의 법에 있는 무량무변의 유정 중에 범행(梵行)을 수행(修行)할 사람이 있으면 모두 완전한 계(戒)를 얻어 삼취계(三聚戒)를 구비하여 악을 끊고 선을 닦고 중생을 제도(濟度)하리니 설령 누가 이에 어긋난 일을 범할지라도 나의 이름을 들었다면 다시 깨끗함을 얻어 악으로 빠져 들지 않으리라.

第六大願 願我來世得菩提時 若諸有情 其身下劣 諸根不具 醜陋頑愚 盲聾瘖啞 攣躄背僂 白癩顚狂 種種病苦 聞我名已 一切皆得端正黠慧 諸根完具 無諸疾苦

第六의 제근구족(諸根具足)의 대원은 내세에 진리를 얻은 때 만약 유정의 몸이 안 좋고 부실하여 각종의 신체불구와 질병으로 고생하더라도 나의 이름을 들으면 지혜가 채워지고 몸의 여러 기틀이 완전히 갖춰져 모든 질병이 없이 되리라.

第七大願 願我來世得菩提時 若諸有情 眾病逼切 無救無歸 無醫無藥 無親無家 貧窮多苦 我之名號一經其耳 眾病悉除 身心安樂 家屬資具悉皆豐足 乃至證得無上菩提

第七의 제병안락(除病安樂)의 대원은 내세에 진리를 얻은 때 만약 유정의 무리가 병들어 구할 자도 없고 돌아갈 곳도 없고 의원도 없고 약도 없으며 가족도 집도 없고 빈궁하여 많은 고생을 겪는다 해도 나의 이름을 귀에 한번만 들으면 모두의 병이 없어지고 몸과 마음이 안락해지며 집안에 풍족하여 오직 한없는 진리의 증거를 얻으리라.

第八大願 願我來世得菩提時 若有女人為女百惡之所逼惱 極生厭離 願捨女身 聞我名已 一切皆得轉女成男 具丈夫相 乃至證得無上菩提

第八의 전녀득불(轉女得佛)의 대원은 내세에 진리를 얻은 때에 만일 어떤 여인이 여자임으로 인한 온갖 나쁜 일로 시달려 여자의 몸으로 살기를 벗어나고자 하매 나의 이름을 들으면 남자로 되어 대장부의 모습을 갖추고 오직 한없는 진리의 증거를 얻으리니.

第九大願 願我來世得菩提時 令諸有情出魔罥網 解脫一切外道纏縛 若墮種種惡見稠林 皆當引攝置於正見 漸令脩習諸菩薩行 速證無上正等菩提

第九의 안립정견(安立正見)의 대원은 내세에 진리를 얻은 때에 뭇 유정을 마의 그물에서 내어 일체의 외도에서 벗어나게 하리니 만약 각종의 나쁜 이단의 사슬에 빠져 있으면 모두 끌어내어 옳은 곳에 두어 보살의 길을 가게 하여 속히 무한의 바른 진리를 간증(干證)케 하리라.

第十大願：願我來世得菩提時，若諸有情王法所錄，繩縛鞭撻，繫閉牢獄或當刑戮，及餘無量災難凌辱，悲愁煎逼，身心受苦，若聞我名，以我福德威神力故，皆得解脫一切憂苦。

第十의 제난해탈(除難解脫)의 대원은 내세에 진리를 얻은 때에 나라의 법에 걸려 묶이고 매 맞고 옥에 갇히고 죽임을 당하고 기타 많은 재난과 능욕을 당하여 슬픔과 근심이 닥쳐 심신이 고통스러울 때 나의 이름을 들으면 나의 복덕이 神力을 불러 일체의 근심과 고통에서 벗어나게 하리라.

第十一大願：願我來世得菩提時，若諸有情饑渴所惱，為求食故造諸惡業，得聞我名專念受持。我當先以上妙飮食飽足其身，後以法味畢竟安樂而建立之

第十一의 포식안락(飽食安樂)의 대원은 내세에 진리를 얻은 때에 만일 유정이 굶주려 밥을 얻다가 악업을 지었다면 내 이름을 청취하여 잊지 아니하면 내가 먼저 좋은 음식으로 배부르게 하고 나중에는 법미(法味)로 안락하고 건강히 살게 하리라. 사람이 세계에서 살아가려면 밥이 있어야 하나 그만으로 사는 것이 아니라. 밥이 몸을 위한다면 부처님의 법의 말씀은 마음이 성장하는 양식이라. 몸이 살려면 밥을 먹어야 하고 밥을 먹으려면 밥맛이 있어 즐겨야 하듯이 마음이 살려면 법미가 있어 법의 맛을 즐기며 행복하게 살도록 배려하심이 부처님의 대원이시라.

第十二大願：願我來世得菩提時，若諸有情貧無衣服，蚊虻寒熱，晝夜逼惱，若聞我名專念受持，如其所好，即得種種上妙衣服，亦得一切寶莊嚴具，華鬘塗香，鼓樂眾伎，隨心所翫皆令滿足。

第十二의 미의만족(美衣滿足)의 대원은 내세에 진리를 얻은 때에유정이 가난하여 옷이 없어서 모기와 벌레며 더위와 추위로 주야를 괴로워하다가도 나의 이름을 들어 전념하여 잊지 아니하면 곧 제 좋아하는 대로 각종의 매우 오묘한 의복을 얻고 또한 보물이 박힌 든든한 장신구 일체를 얻고 머리와 몸에는 향수를 바르고 광대의 풍악도 있으리니 마음그대로 만족히 즐기리라.

저 부처의 땅은 청정하고 여자가 없으며 유리 땅에 금비단이 길을 덮고 성이며 집이며 다 칠보라 서방 극락세계와 같은데 일광편조(日

光遍照) 월광편조(月光遍照) 두 보살이 있으니 신심 둔 선남자 선녀인은 저 부처의 세계에 나오고자 발원(發願)하여야 하리라

수양은 이 내용을 읽고 신미에게 의문을 표했다.

- 여자가 없는 곳이 극락세계라니요.

- 극락세계는 모든 사람이... 사바세계의 환경에 맞춰진 인간의 몸이 아니라 극락정토의 환경에 맞는 본질원형의 몸을 입기 때문에 달리 남자고 여자고 없습니다. 지금은 여자가 극락정토의 형상과 감촉을 일부 빌려와서 있기에 남자들이 여자를 탐하고 싸움과 죄악의 원인이 되지만 극락정토에서는 有情한 모든 것이 자기의 몸에 만족하고 있으니 남의 몸을 탐내 분란이 일어날 일이 없습니다.

천국에서는 장가도 아니 가고 시집도 아니 간다함과 같은 의미였다. 수양은 다음 부분으로 넘어가 살폈다.

세존이 또 문수사리에 이르시되 무릇 중생이 좋고 궂음을 모르고 오직 탐내고 인색하여 보시함을 모르고 재물만 모아 수고로이 지키니 달라는 사람이 있어 불쌍히 여겨 마지못해 주되 제 살을 베어 내듯이 여기며 또한 많은 탐욕스러운 중생이 재물을 모아 두고 저 쓰기도 않고 있으니 하물며 어버이에게 내어 주겠으며 아내나 자식에게나 종인들 주겠으며 와서 달라고 비는 사람에게는 주리오. 이런 有情

은 이생에서 죽으면 아귀나 축생이 되리나 인간 세상에 있을 적에 약사유리광여래의 이름을 들은 바 있어 악취(惡趣)에 있어도 저 여래의 이름을 잠깐 생각하면 즉시 저승에서 떠나 인간 세상에 태어나서는 惡趣의 고생을 두려워하여 탐욕을 즐기지 아니하고 보시를 아끼지 아니하여 머리며 눈이며 손발이며 살이라도 비는 사람을 줄 것인데 하물며 다른 재물이랴.

또 문수사리여 무릇 유정이 비록 여래께 도리를 배우다가도 청정한 계(戒)인 시라(尸羅)를 없애며 시라는 아니라도 법에 따른 거동(擧動)인 궤칙(軌則)을 없애며 시라궤칙은 아니라도 바른 시각(視覺)을 없애며 바른 시각이 아니라도 많이 들음을 버려 부처님 이르신 경전의 깊은 뜻을 알지 못하며 비록 많이 들어도 증상만(增上慢)하는 까닭으로 마음이 가려지는 것이니 증은 더한다는 것이고 만은 남을 가볍게 여긴다는 것이니 못 얻은 法을 얻었다고 하며 못 증명한 도리를 증명했다 하며 제 생각에는 거리낌 없이 살되 상격(上格)의 사람을 두고 교오(驕傲)히 하는 등 法을 소홀히 여기고 사람을 소홀히 여기는 것이라 저만 옳다고 하고 남을 그르다 하여 정법을 비웃어 마(魔)에 한 당(黨)이 돼 버리니 이런 어리석은 사람은 사곡(邪曲)한 안목(眼目)으로 무량의 유정이 어려운 구덩이에 떨어지게도 하니 그런 유정이 지옥 아귀 축생에 그지없이 두루 다니다 약사유리광여래의 이름을 들으면 모진 행적을 버리고 좋은 법을 닦아 악취에 아니 있으리니 비록 좋은 법 닦음을 못하여 악취에 떨어지고도 저 여래의 본원(本願)의 위력(威力)으로 앞을 보이시어 이름을 잠깐 듣게 하면 저승에서 도로 세상에 태어나 출가하여 바른 시각을 헐지 아니하며 많이 들어 깊은 뜻을 알며 증상만을 벗어나고 정법을 비웃지 아니하여 마의 벗이 되지 아니하여 점점 수행(修行)하여 원만(圓滿)을 빨리 얻게 하리라.

또 문수사리여 무릇 유정이 탐하고 샘내어 저만을 위하고 남을 해하여 지옥 아귀 축생의 삼악취(三惡趣)에 떨어져 무량천세를 고생하다 저승에서 죽어 다시금 세상에 태어날지라도 우마타려(牛馬駝驢)가 되어 구타 속에 혹사하거나 사람이라도 낮은 종이 되어 남의 부림아래 자득(自得)못하니 그러다 먼저 세상에 있을 적에 약사유리광여래의 이름을 들었던 바 있기에 다시 그 이름을 떠올려 극진한 마음으로 귀의하면 부처의 신력으로 수고를 벗어나고 총명이 일어나 배움으로 좋은 法을 구하며 어진 벗을 만나 마망(魔網)을 끊고 無明을 헐고 번뇌가 다하여 일체의 생로병사우비고뇌(生老病死憂悲苦惱)를 벗어나리라.

또 문수사리여 무릇 유정이 싸움으로 서로 해하여 악한 죄업을 기르고 자연에 깃든 신령을 청하고 생물을 죽여 야차와 나찰에 바치고 미운 사람에게 악한 주술로 살해를 도모하더라도 누구나 약사유리광여래의 이름을 들으면 그런 모진 일로 남을 해치않으며 자비심이

나와 미움이 사라지고 기쁨 속에 서로 유익하리라.

또한 문수사리여 남승 여승 남신도 여신도의 여러 정신(淨信)한 선남자와 선여인이 팔분재계(八分齋戒) 지키기를 일 년 혹은 그에 석 달을 더하여 좋아진 근원(根源)으로 서방극락세계에 환생하고자 발원(發願)하는데 아직 확정되지 아니한 중에 약사유리광여래의 이름을 들으면 명종(命終)에 문수사리(文殊師利) 관세음(觀世音) 득대세(得大勢) 무진의(無盡意) 보단화(寶檀華) 약왕(藥王) 약상(藥上) 미륵(彌勒)의 여덟 보살이 인도하여 보화(寶華)로 둘러싸인 그곳에서 온갖 생명과 더불어 절로 생겨나게 하여 천상의 생애를 다 누리도록 본래의 근원은 아니 소진되니 다시 악취(惡趣)로는 나지 않고 인간(人間)에 날진대 더러 전륜왕(轉輪王)이 되어 四天下를 거느리며 한정 없는 위엄과 덕으로 무량의 有情을 十善으로 편안케 하고 더러 찰제리(刹帝利)나 바라문(婆羅門)의 창고가득 재물이 넘치고 많은 권속을 거느리는 큰집에 태어나 용모단정하고 총명 지혜 용맹을 가진 영웅적인 力士가 될진대 여자였을지라도 극진히 약사여래의 이름을 외웠다면 불원(不願)히 여자의 몸으로는 아니 되리라.

찰제리(크샤트리아)는 전지(田地)의 주인이니 땅을 다스리는 사람이고 대대로 이어오니 곧 왕성(王姓)의 사람이다. 겁(劫)의 시작 즈음엔 흙에서 음식을 캐먹다 농사하여 쌀을 먹으며 사람의 타산(打算)이

자라나니 제각기 밭의 소유를 주장하자 유덕한 사람을 세워 밭의 분배를 결정케 했는데 이것이 왕의 시작이고 대대로 이어 성(姓)이 되었으니 찰제리종(刹帝利種)의 일족이 구담씨(瞿曇氏)로 일컫다가 나뉘어 일부가 석가씨(釋迦氏)가 되었다. 바라문은 승족(僧族)이라 당시에는 승려가 대대로 직책을 이어받았다.

수양은 경을 해석해본 후 신미에게 물었다.

- 옛날에는 승려가 대를 잇는데 지금은 그렇지 않은 이유가 있습니까.

- 백성을 영적으로 지도하는 일은 많은 전세(前世)의 수련경력이 풍부하고 영파(靈波)도 섬세하여 뭇 중생을 새로운 인연으로 이어 끌어 올려주어야 합니다. 그러한 일을 할 수 있다고 인정받은 바라문에게는 그 일에 전념하도록 해주고자 생계종사를 면제하고 의식주를 제공했으며 사람들에게 지시할 권세도 주었습니다. 이것이 바라문의 권리가 되었는데 이러한 권리가 대를 이어감은 유정이 자기와 인연이 깊은 주변의 유정에게 세상에서의 권리를 우선 소유하도록 하여 결국 자신이 그 집안에서 다시 태어날 때의 혜택을 기대하는 희망에서 비롯된 것입니다. 중생을 구원하려면 최상의 영격이 계속 영적지도를 맡아야 하는데 가까운 영륜에서만 후계자를 찾으면 결국 영적지도자의 영격이 내려가 낮아져 중생의 구원이 어렵게 됩니다. 이쪽 산봉우리에서 내려와 다시 높은 곳을 찾으려면 다른 산봉우리로

가야지 산봉우리의 근처에서 계속 있을 곳을 찾는다면 먼저보다는 더 내려와야 하는 것과 같은 이치입니다. 세존께서 절로 성직도 갖고 혈족의 후계자도 얻는 바라문족으로 태어나지 않으시고 세속의 권리를 버리고 인연을 떨쳐야 성직자가 되는 찰제리족으로 태어나심은 당신께서 해탈을 목적하시니 후신으로 태어날 때 혜택을 얻으려 하실 것도 없고 당신의 후계자를 영격이 낮은 가까운 혈족인연보다는 인연의 거리를 두고 영격이 높은 제자들로 채우려하심입니다. 세존께서는 바라문의 성직세습에 따르는 성직의 세속화를 지양하고 중생을 위하여 최선의 영혼이 중생을 계도하도록 바꾸어 새길을 보이심입니다.

- 그러면 나중엔 왕위도 인연을 넘어서 이어지게 될지도 모르겠군요. 하긴 요순시대에도 제위(帝位)를 대대로 선양(禪讓)했으니 훗날 군주들에게 지금보다 더 높은 영격을 요구한다면 그렇게 될 것 같습니다.

수양은 왕실의 일원으로서 왕조를 든든히 한다는 것이 순전한 대의가 아님을 자신이 당사자임에도 불구하고 자각하고 있었다. 자기네의 靈命이 지향하는 환경으로 이 땅을 가꾸어서 자기네의 자손이 오래도록 이 땅에서 번성하고 부귀를 누리도록 하는 것이 왕실보전의 목적이며 국태민안(國泰民安)은 어쩌면 목적이 아닌 왕실의 보전을 위한 수단이라 할 만했다.

- 나라의 통치는 대대로 이어지는 운명적 과업이겠습니다. 지상의 인간과 깊은 인연을 가지고 행해지는 것이니 大國은 대국대로 三韓은 삼한대로 부처님의 뜻이 중생을 인도하는 방향이 있습니다. 그 방향의 일관성을 유지하고자 왕실의 소명실천이 있어야 하겠습니다.

신미는 일단 왕실가족인 수양의 안목에 맞게 왕족으로서 가져야 할 자세를 지도했지만 훗날 나라의 목적이 왕실의 번영이 아니라 민생의 형통으로 인정되는 시대에는 왕위를 비혈족에게 선양하는 요순시대의 관행이 부활하리라고 충분히 예견할 수 있었다.

- 세존께서는 해탈의 경지에 이르셨기에 인연이 가까운 자에게 업적 물려주기를 하찮게 여기셨지만 그렇지 않은 우리 유정은 이 세상에 살면서 가까운 인연에게 업적을 물려주는 것이 훗날 환생 때의 형통을 위하여 긴요한 것이 아니겠습니까.

- 진실로 사람들이 집안의 세습특권과 재산을 늘려 자손을 유복히 살리려 함은 집안의 인연에 따라 자기 영혼이 훗날 자기 집안에 다시 태어날 때 좋은 환경을 마련해주려 함입니다. 훗날 자기의 영에서 생성되어 지상에 태어난 혼이 좋은 지원을 받으며 기왕의 혼이 쌓은 업적의 관성(慣性)을 이어받게 함은 왕실의 사직을 지켜 대대로 이어야 할 과업을 수행(遂行)하면서 선왕의 업적을 발판으로 추가의 업적을 쌓기에는 긴요합니다. 하지만 여염의 집안에서 재산과 특권을 이어받는 것은 다시 그 집안에 태어난 영혼이 비록 생애의 복락을 누린다

고 해도 靈神의 입장에서 보면 큰 의미 없는 생애학습의 반복에 불과하여 靈格의 상승이 되지 못합니다. 이미 전생에서 겪어본 부귀영화를 다음 생에도 유사하게 반복한다는 것은 학동이 천자문과 소학을 공부하고는 더 나아가지 않고 반복한다면 학습이 편하고 수월(秀越)하겠지만 학문의 습득(習得)이라는 큰 목적을 저버리는 것과도 같습니다. 이러한 혼의 관성에 따른 복락추구는 靈神에게 정말 필요한 새로운 경험을 자꾸 후생으로 미루고 이런 것이 쌓이면 결국 각각의 靈神의 과제와 靈侖의 과제가 밀리고 해결되지 않으니 그러한 일을 반복하게 하는 국가사회는 용도상실로 몰락하게 됩니다. 자기의 쌓아온 부를 자손에게 남기지 않고 사심 없이 남에게 베푼 인생의 결과는 비록 후손을 부유하게 하여 훗날 자기가 집안에 다시 태어날 때의 환경을 좋게 해주는 그런 일을 하지 못하니 자기 후신의 복락을 그리 돕지는 않겠지만 과거의 관성에서 벗어나 새로이 택하는 생은 영의 성장에 효과적이며 이는 곧 영격의 상승이 됩니다. 왕실의 과업의 유산은 나라의 지속을 위하여 귀중한 것이지만 사익을 위한 유산승계는 줄여 나라에서 문벌(門閥)의 영향을 억제해야 할 것입니다.

신미는 왕실의 은혜를 입는 처지에서 당장의 왕업승계를 옹호했지만 왕실 또한 때가 되면 왕격신명단의 탄생종료로 靈侖이 변하며 권력세습의 의미가 사라질 것이었다. 성직자의 세습(世襲)이 일찍이 사라진 것은 성직자에 요구되는 靈格을 세습으로는 충당하지 못하는 이유였고 정치권력자는 그보다는 요구수준이 덜했기에 세습제도가 더 늦게까지 유지되었다. 오늘날 정치권력자의 세습이 종료되어 민주정치제도가 정착되어도 영리(營利)를 위한 상권(商權)의 세습은 유지되곤 하는데 이는 영격의 요구조건이 덜하기 때문이다.

수양은 끄덕이고 다시 경의 번역작업을 했다.

그때 문수사리 부처께 여쭈시되 내 맹세하노니 상법시(像法時)로 들어갈 시절에 갖가지 방법으로 정신(淨信)히 믿은 선남자와 선여인들이 약사유리광여래의 이름을 잠결이라도 들어 깨닫게 하리이다. 세존이시여 누구든 이 경전을 지녀 남과 더불어 거듭 낭독하여 읽어 외우고 필사(筆寫)하거나 필사를 시키고 공경하고 존중하여 여러 꽃 향기와 장식을 덮어 오색 주머니에 넣고 좋은 땅을 다듬어 높이 자리를 만들어 고이 모시면 그때 사천왕이 권속과 무량의 천중(天衆)을 데리고 그리 가서 공양하며 지키리다. 세존이시여 이 경이 유행할 땅에 저 약사유리광여래의 본원의 공덕을 지니며 이름을 들으면 마땅히 그 땅에 횡사할 일이 없으며 또 모진 귀신들이 정기(精氣)를 못 빼앗으리니 비록 빼앗겼어도 다시 옛날 같아져 마음이 편안하리다.

부처께서 이르시되 옳다 네 말 같으니라 문수사리여 앞으로 정신한 선남자와 선여인이 저 약사유리광여래를 공양하고자 하거든 먼저 저 부처님의 형상을 만들어 좋은 자리에 편안히 놓아 모시고 각종의 꽃을 뿌리고 각종의 향을 피우고 각종의 당번(幢幡)으로 그 자리를 장엄히 하고 밤낮 이레를 팔분재계를 가져 좋은 밥 먹고 목욕 감아 향을 바르고 좋은 옷 입고 무구(無垢)한 마음과 진심(嗔心) 없는 마음을 내어 일체 유정에 이익하며 안락하며 자비희사(慈悲喜捨)하며 평등한 마음을 이루어 풍류와 노래로 찬탄하여 불상 오른쪽으로 감아 돌고 저 여래의 본원공덕을 또 생각하여 이 경전을 읽어 외우며 그 뜻을 생각하여 소리내 여러 번 읽으면 일체의 원이 다 이루어져 장수를 구하면 장수를 얻고 부유를 구하면 부유를 얻고 벼슬을 구하면 벼슬을 얻고 아들딸을 구하면 아들딸을 얻으리라. 또 사람 아무나 나쁜 꿈을 얻어 궂은 상(相)을 보거나 요괴(妖怪)와 같은 새가 오거나 땅에 온갖 요괴가 보이거나 하거든 그 사람이 각종의 귀한 것으로 약사유리광여래를 공양하면 흉한 꿈이며 무릇 좋지 못한 일이 다 없어져 분별이 되지 아니하며 물 불 칼 등 모진 것과 어려운 석벽(石壁)과 모진 코끼리와 사자와 범과 이리와 곰과 모진 뱀과 물벌레들의 무서운 일이 있어도 극진한 마음으로 저 부처를 염불하여 공경하면 다 벗어날 것이며 다른 나라가 와서 보채거나 도적이 덤비거나 하여도 저 여래를 염불하여 공경하면 다 벗어나리라.

또 문수사리여 누구든 淨信한 선남자선여인들이 죽도록 다른 하늘을 섬기지 아니하고 한마음으로 불법승에 귀의하여 경계를 지나다가 그르쳐 지은 일이 있어서 악취에 떨어짐을 두려워하여 저 부처의 이름을 극진히 공양하면 마땅히 삼악취에 나지 아니할 것이며 아무 여자든 아기 낳을 시절을 당하여 지극한 수고를 할 적에 극진한 마음으로 저 여래의 이름을 불러 찬탄하여 공경공양 해 드리면 큰 수고가 없고 낳은 자식이 모습이 단정하여 본 사람이 기뻐하며 근원이 섬세하여 총명하며 편안하여 병이 적고 귀신이 정기를 빼앗지 아니하리라.

장기간의 노력 끝에 번역이 완성되었다. 석가의 일대기를 요긴한 것은 상세하게 그렇지 않은 것은 간략히 정리했다고 하여 노래의 이름을 석보상절(釋譜詳節)이라고 했다. 오늘날의 표현으로는 편역(編譯)이라고 보아야 할 것이다.

신미와 수양은 노래의 완성을 왕에게 보고했다. 새로이 만든 글을 사용하여 노래의 가사 그대로를 문서로 기록할 수 있음이 여간 기쁘지 않았다.

온 세상을 두루 살피시는 부처님 은혜

- 우리가 어찌 부처님의 행적을 그저 듣기만 하겠소. 우리의 찬미하는 마음을 싣는 노래도 남겨야 하지 않겠소.

왕은 추가로 석가의 공덕을 찬양하는 노래를 짓자고 했다. 이것은 단지 번역이 아니라 부처의 행적기록을 바탕으로 한 새로운 창작이었다.

- 소자는 부처님의 공덕을 말씀할 도력(道力)이 못 미치니 대사께 일임하시는 것이 좋겠습니다.

수양이 건의했다.

- 대사가 전력으로 부처님의 공덕을 말씀해보시오.

이번에는 신미가 전적으로 집필을 맡아하기로 했다.

부처님께서 백억 번을 세계에 화신(化身)하시어 人間을 교화하심은 세계 안에 운세에 떠밀려 살아가는 중생에게 광명이니 마치 달빛이 강물 일천 줄기에 비침과 같음이로다. 지고지대(至高至大)한 석가 부처님의 공덕을 세상 끝이 되어도 어찌 다 설(說)하리만 시계(視界) 안이라도 세존 하신 바를 말씀해 올리겠으니 만리(萬里)밖의 일이라도 보이는 듯이 천년전의 일이라도 들리는 듯이 여기오소서

아득히 먼 옛날 한 보살이 왕으로 계시다 왕위를 동생에 주어버리시고 출가하여 구담(瞿曇) 바라문을 만나시니 보살은 보리살타인데 보리는 부처의 도리이고 살타는 중생이라 부처의 도리로 중생을 제도(濟度)하는 사람이라

보살은 깊은 산의 정사(精舍)에 들어가 자기 옷은 벗고 구담의 옷을 입으시어 소구담이라 일컬어지며 감자를 심고 과실과 물을 자시고 수도하는데 오백 전세(前世)의 원수가 나라의 재물을 훔쳐 그곳을 지났더라

도둑을 쫓아온 왕이 형님인줄 모르며 보살을 나무에 꿰어 두니

대구담이 허공에 날아와 자식도 없는 그대가 무슨 죄인가 물으니 보살 대답하시길 이미 죽게 된 바 자손을 말해 무엇하나이까

그 왕이 사람을 시켜 쏘아 죽이니 대구담이 슬퍼하여 장사지내고 좌우의 피 묻은 흙을 퍼 담고 精舍에 돌아와 왼녘 피 따로 오른녘 피 따로 그릇에 담고 이르기를

이 보살의 도리를 닦는 정성이 참으로 지극하다면 하늘이 마땅히 피 묻은 흙이 사람이 되게 하시리니

하여 열 달 후에 왼쪽 피는 남자가 되고 오른쪽 피는 여자가 되어 남녀를 창조하시어

가련히 명종(命終)하신 감자씨(甘蔗氏)의 계승을 대구담(大瞿曇)이 마련하셨네

환생하니 먼 후세에 석가모니 부처되실 줄을 보광불(普光佛)이 미리 말씀하시네

외도인(外道人) 오백이 선혜(善慧)의 덕을 입어 제자 되어 은화(銀貨)를 바쳐 올리니

그 때에 등조왕(燈照王)이 보광불을 청하여 공양하고자 나라에 명하기를 좋은 꽃은 팔지 말고 다 내게 가져오라

선혜가 들으시고 안타까이 여겨 꽃을 찾아 헤매다 매화녀(賣花女) 구이(俱夷)를 만나시는데

구이는 밝은 여자라는 뜻이니 나실 때에 해가 다 져가되 그 집은 광명이 비치매 구이라 이름하니라

구이에게는 꽃이 일곱줄기가 있으나 왕의 명령을 두려워하여 병속에 감추어 두었는데

선혜의 정성이 지극하므로 꽃이 솟아나와 보이니

선혜 간절히 말씀하기를 오백 은화(銀貨)로 다섯 줄기를 사고 싶어라

구이 묻기를 무엇에 쓰실고

선혜 대답하기를 부처님께 바치리라

구이 묻기를 부처님께 바쳐 무엇하려하시는고

선혜 대답하기를 모든 갖가지 중생을 제도(濟度)하고자 하노라

구이 생각하되 이 남자 정성이 지극하매 오백 은화를 아끼지 아니하도다

하여 말씀하되 이 꽃을 드리겠으니 원컨대 세세생생(世世生生)에 그대의 아내가 되고 싶어라

선혜 대답하되 내가 깨끗한 행실을 닦아 세상일과 인연을 끊는 도리를 구하는데 부부의 인연맺기는 듣지 못하겠도다 부부가 되어 삶이란 행실이 깨끗하지 못하여 윤회를 벗지 못하는 근원이라

구이가 이르되 내 원을 따르지 않으면 꽃을 얻지 못하리라

선혜가 이르되 그러면 네 소원을 따르겠으나 조건 있기를 나는 보시를 즐겨 사람의 뜻을 거스르지 아니하니 아무나 와서 내 머리팍이며 눈동자며 골수며 아내며 자식이며 달라 하여도 그대가 거역해서 내가 보시하는 마음을 무너뜨리지 말라

구이 이르되 그대의 말대로 하겠으니 내가 여자인고로 가져가기 어려워 두 줄기를 마저 맡기니 부처님께 바쳐 세세생생에 내 소원을 잊지 아니하게 해 주오

그 때에 등조왕이 신하와 백성을 거느리며 갖가지 공양물을 가지

고 성에서 나와 부처를 맞이하여 절을 올리고 이름난 꽃을 뿌리더라 사람들이 차례로 공양을 마치매 선혜가 자기몫의 다섯 줄기를 뿌리니 공중에 머물러 꽃방석이 되고 다음 구이녀 몫의 두 줄기를 뿌려도 다섯 꽃 두 꽃이 다 공중에 머무르매 등조왕과 천룡팔부(天龍八部)가 옛날에는 없던 일이로다 하고

보광불이 찬탄하여 말씀하기를 그대야말로 먼훗날에 부처 되어 석가모니(釋迦牟尼)라 하리라

보광불이 지나는 길에 땅이 몹시 질척이니 선혜가 입었던 녹피(鹿皮)를 벗어 길 가운데 깔고 엎드려 머리칼을 풀어 덮으시니 보광불 딛고 지나며 말씀하시길 이다음 부처되어 하늘과 사람을 섬겨 도와 건지기가 나하고 같으리라

일곱 꽃으로 말미암아 미더운 맹세 깊으시매 구이녀는 세세에 세존의 아내가 되시니

선혜는 보광불에 귀의하며 다섯 꿈을 아뢰었는데

내가 바다에 눕고

수미산(須彌山)을 베어 눕고

중생이 몸에 들어오며

손이 태양을 집고

손이 달을 집더이다

보광불 말씀하길

네가 죽고 사는 것이 바다에 사는 것과 같다

사는 것의 집념에서 벗어날 것이라

중생이 너의 지혜를 의지해서 살아갈 것이라

지혜가 햇살같이 넓게 비치리니

맑고 시원한 이치로써 중생의 어려움을 건지고 번뇌를 잊게 하리라

네가 훗날 부처가 되어 석가모니라 하리라

석가는 어질며 남 불쌍히 여김이니 중생을 위하여 세간에 나심이고 모니는 고요하고 잠잠하여 지혜의 근원을 말함이니

어질며 남을 불쌍히 여기므로 열반에 아니 계시고

고요잠잠하시매 생사에 아니 계시니라 하는 뜻이다

하여 훗날 세존이 되신다는 수기(授記)를 분명히 해주시니 선혜가 듣고 기뻐하시더라

부처님의 은혜가 마치 달빛이 온 누리의 강물에 빠짐없이 비치어 깃들듯이 온 세상을 두루 살피신다는 뜻으로 월인천강지곡(月印千江之曲)이라 했다.

신미는 이러한 이야기를 새로 만든 글로 작성하면서도 더욱 깨닫게 되는 것이었다.

왕위를 버리고 구담바라문의 제자가 되어 도리를 구하려 했으나

억울하고 허무하게 죽은 생애는 그 하나만 보면 안타깝기 그지없지만 후에 석가세존으로 탄생할 인연의 계보를 마련함이었다. 구도자 선혜가 되어 이단의 도를 좇는 많은 사람들을 옳은 데로 돌아오게 하는 지위를 가졌으나 이에 만족하지 않고 나라에서 덕이 높은 보광불을 흠모하여 정성을 바치려 했다. 이 때 꽃파는 여자 구이녀는 선혜의 영격이 지고함을 알고 그이와 깊이 인연을 맺으면 자신의 구원이 이뤄질 것임을 짐작하고 선혜가 간절히 바라는 꽃을 주는 조건으로 앞으로 계속 부부의 연을 맺자고 한다. 부부가 되면 당연히 지상에 많은 인연을 늘려 세상에 매이게 된다. 세상일에 관심이 없는 선혜로서는 난감한 조건일 수밖에 없다. 그리하여 자기가 몸까지 가진 것을 아낌없이 보시하는 것을 막지 않는다는 조건으로 구이녀의 소원을 받아들이고 부처께 바칠 꽃을 얻는다. 석가모니로 태어날 때까지도 출가에 걸림이 되는 부인이 딸렸던 것이 그런 연유였다.

대구담이 소구담의 피에 젖은 흙을 사발에 담아 남자와 여자가 나오게 했다는 것은 물적차원에서는 믿기 어렵지만 현실대입을 하더라도 영적차원에서는 설명이 된다. 여생동안 소구담의 정신이 깃든 흙을 함께하며 살아가면서 대구담은 자손을 낳았고 자손 중에 자연히 소구담의 후신이 태어났을 것이다.

이야기는 흙으로 빚어진 사람으로부터 여러 생을 거쳐 부처가 되는 과정을 보임이다. 대구담은 흙으로 사람을 창조하는 신적존재이고 소구담은 왕이 되어 마땅했으나 혈육으로부터 도적이나 매한가지로 간주되어 나무에 높이 매달려 창으로 찔리며 죽임을 당하고 그러는 중에 공중의 대구담과 교제함은 大神과 小神이 협력하여 중생의 구원을 위한 희생의 모범을 보임이다. 다시 소구담의 후신이 부처의 앞길에 옷을 벗어 깔고 머리카락을 땅에 덮어 완전한 순종의 본보기를 보인 것은 남을 섬기는 종의 도를 몸소 실천함이다.

복천암의 신미대사

왕은 병이 깊어 지상에서 향유할 수(壽)가 얼마 남지 않음을 알고 신미대사를 침실로 불러 들였다. 승려로서 초빙되어 행하는 법사(法事)를 치르고 신미는 왕과 마주 앉았다.

- 대사 긴히 부탁할 것이 있어 오늘 자리를 청했소.

- 황공한 말씀이옵니다. 소승 미력이나마 실행이 가능한 것이라면 전하의 소원에 그대로 행하기를 맹세하옵니다.

- 과인이 세상에 머물 날도 이제 얼마 안 남았나보오. 앞으로 이 나라가 어찌 되어갈는지 대사의 뜻과 대책을 묻고 싶소.

이런 발언을 듣는 경우 통상 마음을 굳게 가지라 하고 삶의 미련을 부추기는 것이 일반적이지만 신미는 왕을 둘러싼 운세의 흐름을 파악하고 있었다. 왕의 형님들도 살아있고 아직 환갑도 먼 나이다. 그러나 사람의 수(壽)는 지상에서의 소명완료의 시점에 끝나는 것이지 육체의 내구성에 따라 예측가능한 시점에 끝나는 것이 아니다. 삼십 여년의 재위기간 중에 거대한 과업은 쉬지 않고 수행되어 갔고 그 정점에 훈민정음 반포가 있었는데 이후 국정수행의 가속력은 사라졌고 세자의 섭정으로 관례적인 행사만이 시행되고 있었다. 이 상황에서는 왕으로서의 인생의 지속에 의미가 없다. 왕의 지위를 누린다는 것도 현생에 받을 복락은 소진되어 가고 있었기에 연장하기 곤란했다. 어쩌면 뒷날 왕가에 예비해 있는 파란의 발생시기가 다가왔으니 그 환경의 조성을 재촉함도 있었다.

- 전하 불심이 나라에 충만하게 해주시옵소서.

누구를 의심하고 누구를 폐하고 누구를 신임하고 누구를 올리고 하는 것들은 승려로서 권할 바가 아니었다. 일전에 양녕대군이 수양대군을 세자로 책봉하는 것이 왕실의 안정을 도모하는 길이라고 건의한 바 있었다. 장자상속으로 왕실법통의 안정을 도모하려던 왕은 고민이 있던 중에 신미대사의 지혜를 얻고 싶었다. 그러나 역시 신미는 정치에 불개입하였다. 단지 성직자의 품위를 지키자는 것이 아니라 당장에 보이는 인간세상의 이익과 합리성 심지어는 평화를 위한 것일지라도 사바세계의 운영권한을 받지 않은 자가 억지로 개입하여 부처님의 계획을 변경하면 훗날 해결되지 못한 업장이 터져 더 큰

불행이 오기 때문이다.

- 세자와 세손의 앞길을 살펴주기 바라오.

이 말에도 여느 신하라면 부복하여 맹세했을 것이다. 그러나 신미는 고개를 더 수그려 합장하는 것 말고는 답을 하지 않았다. 의례적인 염불의 목소리만 더 간절히 읊을 뿐이었다.

왕도 신미의 뜻을 받아들여 더 이상 정치적인 자문이나 당부는 하지 않았다.

- 대사께 신자로서의 예로 시주를 올립니다. 대사가 소속한 속리산 복천암에 불상을 조성하고 시주를 더합니다.

왕은 명령서에 낙인을 찍었다.

세종 왕이 백성을 위한 일에 정력을 소진한 나머지 환갑이 먼 나이에 승하하고 조선왕조 최초로 맏이로서 정식 세자를 지낸 새 왕이 등극했다.

세종 왕이 죽자 훈민정음을 활용한 불경번역은 계속되지 못했다. 새 왕은 훈민정음과 불교에 그리 관심이 없었다. 신미와 수온은 집현전의 학사들과 함께 세종의 유지를 계속 실행하고자 제의했다.

- 훈민정음으로 불경의 언해본을 간행해왔는데 선왕의 뜻을 받들어 백성을 가르치려면 우리 집현전에서 유교경전의 언해본을 간행해야 하지 않겠습니까.

백성이 모두 불교신자일수도 없으니 백성에게 유교의 기본지식도 가르쳐야 건국이념대로 백성모두가 군자가 되는 길이 열릴 것이었다. 신미와 수온이 번역작업을 할 수도 있지만 집현전의 유학자들 간에 합의되어서 실행하는 것이 옳았다.

그러나 유학자들의 생각은 부정적이었다. 이미 정음을 창제한 왕이 없으니 더 이상 눈치 볼 것도 없이 하고 싶은 말들을 쏟아냈다. 새 글자의 호칭도 다시 언문으로 바뀌었다.

- 글을 모르면 그림으로 깨치라고 삼강행실도(三綱行實圖)를 간행한 게 언젠데 그런 말씀을 하시오. 불분명한 뜻밖에 표기 못하는 언문으로 전하는 것보단 그림이 더 낫소.

- 부녀자들의 빨래터 수다는 받아 적을지 몰라도 학문을 담을 수가 있어야 언해를 하든지 말든지 하지.

- 하긴 통시(通屎)할 때의 소리도 받아 적을 수 있으니 쓸모가 있긴 하오. 그런데 성현의 가르침에 통시의 법도는 전해 내려오는 것이 없어서. 허허.

비웃는 발언들 속에 정말 진지하게 언문을 사용한 지식교육의 문제점을 제기하는 학자도 있었다.

- 부녀자들이 뒷방에 앉아서 친정에 시어미의 흉을 편지 써 보내는 데에는 언문이 그리 부족할 것이 없겠소. 하지만 경세제민(經世濟民)을 궁구(窮究)해야 할 장부들은 배울 글이 못되오. 원형이정이라

고 써놓으면 그게 무슨 말인지 알 수가 있어야지요. 봄여름가을겨울이라고 그냥 일상사에서 눈에 보이는 世上事는 적어놓고 알릴 수 있지만 세상에 보이고 느낄 수 있는 것만을 따르는 것은 소인들의 행태요. 元亨利貞으로 맨 처음 현상의 본질 원(元)이 있는데 그것이 하고자 하는 방향으로 형통하게 운영되는 형(亨)이 있고 이윽고 그 행실의 결과로 세상이 보탬을 얻는 이(利)가 있고 이윽고 모든 활동과 변화를 마무리하고 역량이 잠재된 상태인 정(貞)이 있는 것이오. 이런 내용이 언문으로 전달이 되리라고 보십니까.

- 진서를 사용 안하는 것이 아니라 漢文만으로 가르칠 學問을 언문으로 배우기 쉽게 설명해준다는 것입니다. 이미 용비어천가와 월인천강지곡에서 예를 보였듯이 문장은 언문으로 하면서 元亨利貞과 같은 중요한 글귀는 그대로 진서로 적어놓으면 됩니다. 漢文 그대로의 경전보다 문장에서 느끼는 맛은 다를지라도 전달하고자 하는 의미는 같습니다.

신미는 이렇게 유학자들의 반대를 설득하고자 말했으나

- 진서와 언문을 함께 쓰다보면 백성은 쉬운 것을 찾아가게 되고 그래서 진서의 사용은 위축 될 것이외다. 그러다 혹 우리 삼한이 몽고오랑캐나 왜구에게 침략이라도 당하게 되면 저들은 우리의 내려온 정신을 없애려고 저들의 언어를 강요할 것이니 그런 때에도 우리의 정신을 지키려면 고려와 송이 그랬던 것처럼 나라에서 진서를 사

용하여 학문을 깊이 함이 소중할 것입니다.

집현전 학자의 나름 진지한 의견은 이와 같았다.

앞으로 정음을 어찌할 것인가. 선왕의 뜻이 누구든지 배우기 쉽게 할 따름이라면 유학자들의 비웃음은 일리가 있다. 그러면 유생들과는 상관이 없는 백성만의 글로 해야 할 것인가. 그리하여 양반은 한문 상민은 언문으로 문자를 나눠 사용하게 되면 서로 다른 신분과는 의사소통이 제한되기 때문에 갈등이 더해진다. 상민이 지식도 없어서 힘이 없으면 더욱 일방적으로 당하는 일이 많아져 양반과 상민 간에 새로이 갚아야 할 업보가 늘어나고 중생의 업장해소라는 불교의 대의를 그르치게 된다.

칼자루는 유식한 자들이 쥐고 있는 것인데... 무식한 자들을 위한 문자를 수용하여 이를 통하여 할 수 있는 한 백성을 교육시키면 백성 중에 능력이 되는 자는 진서를 통해 학문을 공부할 것이 아닌가.

그러나 유학자 대다수는 설득이 되지 않는다. 동생 수온은 평범한 유학자이지 이네들 중에서 대의를 관철할 그릇은 아니다. 정음창제 과업을 마치고 그 보급을 후원해줄 대왕이 승하했다. 새 왕은 불교와 정음보급에는 관심이 없다.

집현전에는 소임이 없으니 신미는 집현전을 나와 보은 속리산 법주사에 주석하여 복천암에서 면벽관심(面壁觀心)으로 불도에 정진했다.

늦은 봄에 궁궐을 나온 지 여러 달이 지나 겨울이 되었다. 더욱 조용해진 산속 암자는 자기만의 수련에는 더욱 좋은 곳이 되었다.

밤중에 급히 암자의 문을 두드리는 소리가 있었다.

- 주지스님 큰일 났습니다.

문을 여니 상좌승(上座僧) 몇이 헉헉거리며 있었다.

- 무슨 일이냐.

- 도둑떼가 침입하여 젊은 중들을 묶어놓고 창고를 털어가려합니다.

신미는 눈 하나 깜박하지 않고 태연했다.

- 웬 호들갑이냐. 떨려면 도둑이 떨어야지 주인이 왜 떠느냐.

나무라고는 차분히 대책을 명했다.

- 창고문을 모두 활짝 열고 다 가져가라고 하라.

상식으로 보면 황당한 명이었지만 상좌승들은 신미에 대한 신뢰가 있었기에 반문하지 않고 그대로 했다.

상좌승들이 가서 전하니 도둑들은 마음껏 보따리를 싸고 짊어져 도망쳤다.

신미는 도둑들이 재물을 훔치는 것만이 최우선의 목적이었다면 칼과 몽둥이를 사용하여 해를 가하고 더 빨리 끝낼 수도 있었는데 힘들여 젊은 중들을 묶어놓고 나서 도둑질을 하는 것을 가상(嘉尙)하게 여겼다.

극악함으로 넘어가지 않는 자들은 악한 행위를 할지라도 쉬이 돌아올 수 있다. 이미 전생에 인간의 도를 배운 바 있는 영혼이지만 금생에 극도의 궁핍에 몰리면서도 인간의 도리를 지킬 것인가 시험받을 뿐이다. 신미는 저들이 정당하지 않은 재물로 금생에 받은 어려움 극복의 수도과업(修道課業)을 저버리지 않기를 기도했다.

재물은 그 용도를 벗어나지 않았다. 불자의 육신보전과 포교활동을 위한 재물은 그 있어야 할 곳을 떠나지 않아 마치 자석처럼 있던 곳에서 멀리가지 않았다. 저들은 밤새도록 도망쳐도 법주사 경내만 돌 뿐이었다.

- 스님. 스님...

다시 방문 앞에서 부르는 소리에

- 누구냐.

신미는 즉시 답해주었다. 아직 자지 않고 기다린 것이었다.

- 밤이 늦고 지쳐 갈 곳도 없습니다. 재물을 내려놓을 테니 용서하시고 저희가 떠나갈 길을 알려주십시오.

지친 도둑떼는 복천암으로 올라와 신미대사 앞에서 빌었다.

- 너희가 지금이라도 사악한 마음을 버리면 부처가 될 수 있으니 마음을 바로 잡아라. 좋지 못한 마음을 한 사람이 가지는 것보다 여럿이서 동시에 가지면 그것은 더욱 악한 것이다. 열사람이 제각기 악행을 한 것보다 열사람이 마음을 통하여 함께 악행한 것이 악업이 크

다는 것이다. 한사람의 악행은 자기의 혼의 오염으로 끝나고 죽은 후에는 자기의 영에서 그 보응을 설계해서 후생의 혼에 실어 내려 보내는 것으로 해결되지만 여럿이 하는 악행은 그들 각자의 혼을 넘어서서 영의 차원에서 서로 연결되어 악행의 인연으로 맺어지는 영륜(靈倫)을 만들어내고 이들을 통할하는 악신(惡神)이 만들어지니 이를 해결하려면 훨씬 큰 우주의 대속(代贖)이 필요하게 된다. 너희들은 당장 도둑떼로 몰려다니기를 그만하라.

도둑들은 대사의 덕망에 감동하여 눈물을 흘리며 회개했다. 도둑들이 한꺼번에 모두 진실로 착해지기를 바라기는 쉽지 않지만 일단 몰려다니는 것을 그만두면 죄가 경감된다고 가르치니 그들은 곧바로 해산했다. 일부는 승려들의 지시를 받으며 각자의 고향이나 연고지로 내려가고 일부는 아침까지 절마당에 꿇고 참회했다. 갈 곳이 없는 자는 절의 노비를 삼아달라고 간청했다.

수양의 정변과 그 업보

조정에서 신미의 제수(除授)가 거론됐다. 선왕 세종이 하고자 했으나 말년 병환의 와중에 기회가 없어 미뤄졌던 것이었다.

- 선왕의 졸곡(卒哭)을 지낸 후에라도 늦지 않사옵니다.

하는 신료들의 만류로 미루던 왕은 신미에게

禪教宗都摠攝 密傳正法 悲智雙運 祐國利世 圓融無碍 慧覺尊者

선교종도총섭 밀전정법 비지쌍운 우국이세 원융무애 혜각존자

의 사호(賜號)를 내렸다.

선교종을 총괄관리하시는 지도자이시며 정통의 佛法을 자상하고

치밀하게 가르치시며 자비로움과 지혜를 겸비하여 운용(運用)하시며 나라를 돕고 세상을 이롭게 하시며 세상 그 무엇도 거리낌 없이 원만히 포용하시는 사리(事理)를 깨달은 존자이시라.

존자는 부처님의 제자를 말하니 매우 큰 공헌이나 덕이 있는 승려의 칭호였다. 나라의 융성을 돕고 백성을 이롭게 했다는 우국이세라는 칭송을 억불숭유 정책의 조선에서 승려에게 내린 것은 훈민정음 창제에 기여한 공적 때문이었다.

개국이후 이런 승직은 없었다. 신미대사에게 이런 사호가 내려진 후 유신들은 부당하다고 상소했다.

이에 대해 왕은

- 신미에 대한 칭호는 선왕께서 정하신 바요 다만 미령(未寧)하심으로 인하여 시행 못하셨을 뿐 내가 한 것이 아니다.

하고 사호를 유지하려 했다. 왕은 불교의 신자가 아니었지만 부왕의 뜻에 따름이었다.

그래도 박팽년이

- 우국이세란 칭호는 장상(將相)과 대신(大臣)에게라도 조정과 의논하여 가부를 살핀 뒤에 주어야 하는 것인데 하물며 노간(老奸)이겠습니까.

하자 왕은

- 노간이라니 선왕의 신임을 받은 분께 不敬스럽소.

하고 노(怒)하여 박팽년을 집현전직제학으로부터 파직했다.

하지만 유신들의 반발을 끝낼 수는 없었다. 결국 신미의 법호를

大曹溪 禪教宗 都摠攝 密傳正法 承揚祖道 體用一如 悲智雙運 度生利物 圓融無碍 惠覺宗師

대조계 선교종 도총섭 밀전정법 승양조도 체용일여 비지쌍운 도생이물 원융무애 혜각종사

하는 것으로 고쳤다. 부처님의 제자라는 존자에서 종파의 우두머리라는 종사로 바꾸었다. 우국이세는 빼는 대신 중생을 제도(濟度)하고 일을 잘 되게 한다는 도생이물을 넣었고 부처님의 직접제자가 아니라는 것으로 밀전정법과 비지쌍운의 사이에는 승양조도체용일여라는 불법의 계승자이고 수도자라는 겸양의 표현을 넣었다.

조계의 선교종을 총괄관리하시는 지도자이시며 정통의 불법을 자상하고 치밀하게 가르치시며 오래된 가르침을 이어받아 발전시키시며 우주본래의 존재(體)와 지상에 파생(派生)한 존재(用)가 하나임을 아시고 자비로움과 지혜를 겸비하여 운용하시며 중생을 제도하고 물질에 이로움을 주시고 세상 무엇도 거리낌 없이 원만히 포용하시는 사리를 깨달은 큰 스승이시라.

하지만 이 법호는 일시적인 무마용이었고 사용되지는 않았다. 시

일이 지나자 신미에게는 다시 먼저 세종이 준비했던 법호를 사용했다.

신왕이 불교신자가 아니어서 정부차원의 불사(佛事)가 중지되자 수양과 안평이 불경(佛經)을 간행하고 절을 짓는 불사를 계속했다. 먼저 불사를 적극 추진한 안평대군이 왕권에 밀착하면서 정치적 입지를 늘리자 수양도 불사를 크게 행하니 사헌부에서 문제 삼았다.

- 전하, 대군들의 불사가 도를 넘고 있사옵니다. 이는 선왕의 뜻도 아니온 바 재정의 소비가 막대하옵니다.

상소에 대한 왕의 대답은

- 선왕 때부터 계획한 일이었소.

하고 종친을 감싸주는 것이었다. 佛事가 선왕 때부터 계획된 일인가의 여부는 해석하기 나름이었다. 세종이 불교를 지원했으니 선왕 때부터의 일이라고 할 수도 있고 세종이 구체적으로 지시한 적은 없으니 선왕의 뜻이 아니라고 해도 맞는 말이었다.

주로 군사 관련 일에 참여했던 수양이 불사에 참여한 것은 불사로 인해 입지가 강화된 안평을 의식한 것이었다. 불사와 정치행보로 수양과 안평의 영향력이 확대되고 두 세력의 긴장감이 형성되었다.

왕이 수양과 안평의 불사를 막지 않은 것은 의지할 곳이 종친(宗親) 세력밖에 없는 탓이었다. 불사를 저지해 달라는 신하들에게 나는 불교를 좋아하는 군주가 아니며 여러 불사의 진행 역시 본인이 아닌 동생들이 하는 것이기 때문에 금지하지 못한다고 하다가 국왕의 재가(裁可)를 필요로 하는 일도 생겨 자신도 결국 여러 차례 불사를 행했다.

이렇게 왕은 기세등등한 동생 대군들의 권력놀음에 시달리다 두 해만에 세상을 떠났다. 왕이 유언을 남기는 고명(顧命)의 자리에는 대신들만을 불렀다.

- 이대로 과인이 경들을 떠나게 되다니... 선왕의 업적을 이어 왕위에 올랐으나 어느 것 하나 이루지 못하고 오늘에 이르렀소. 어린 세자가 몹시 걱정이 되오. 부디 성군이 되도록 잘 보필해 주오

또한 세자에게는 이렇게 당부하였다.

- 항상 몸조심하여 정신을 가다듬고 두려움 속에서 매사를 경계하고 여기 계신 대신들의 말을 경청하라.

왕은 권세가 강한 동생들이 아닌 대신들에게 훗날을 부탁했다. 문종 왕이 죽고 열 두 살의 새 왕이 즉위했다.

김종서(金宗瑞) 등이 섭정에 가까운 권력으로 정사를 주관하니 왕권의 약화 즉 신권(臣權)의 강화로 비치는 모양새였다. 강력한 왕권을 지향했던 수양은 이를 왕실에 대한 위협으로 보았다.

- 비대한 신권을 바로잡고 왕실의 권위를 세워야 한다.

수양은 안평대군을 지지하는 신하들이 자신을 제거하려는 모의가 있다고 의심되자 거사(擧事)하여 김종서 등 많은 대신과 동생 안평을

죽이고 스스로 영의정에 올라 모든 권력을 잡고 섭정했다.

- 이대로 두면 사직이 위태롭고 역성(易姓)의 모의가 일어날 수도 있었기에 부득이 일어선 것이다.

수양은 주장했지만 어린 왕을 옹립한다고 해서 반드시 사직이 흔들린다고 볼 수는 없었다. 세상 사람은 왕위에 욕심이 나서 정변을 일으켰다고 한다. 하지만 수양의 입장에서는 부득이함이었다. 수양이 우려한 것은 조선이라는 나라가 신료 중심의 나라가 되는 것이었다. 그것은 태종 때도 있었던 일로서 조선이 왕권(王權)의 국가로 가느냐 신권(臣權)의 국가로 가느냐 하는 길목에서의 싸움이었다. 그 때도 정도전(鄭道傳)은 어린 왕을 옹립하려고 계획했지만 태종이 저지했다. 신료들의 입맛대로 교육을 받은 어린 왕은 후에 성년이 되어도 그리 다르지 않을 것이었다. 수양은 김종서 등이 어린 왕을 두고 실질적으로 나라를 다스리는 것을 태종과 마찬가지로 다시 막고 싶은 것이었다. 형식상의 사직은 유지되더라도 나라의 운영권이 왕족이 아닌 신하들로 넘어가면 조선왕국은 왕실가족의 靈命이 영향력을 행사하는 나라가 아니며 그것은 영적관점에서 볼 때 사직이 이어지지 못하는 것이었다. 태종과 세조는 그러한 일이 일어나는 것을 막고 늦췄다. 이렇게 조선전기 상당기간은 육룡의 親靈들이 삼한 땅 영혼들의 성장방향에 결정권을 행사했다.

아직 정도전이 꿈꿨던 신권의 나라는 때가 오지 않았다. 그러나 신료들의 靈龠이 나라를 다스리는 시대도 이윽고 오고 말 것이니 그것은 어려서 왕위에 오르는 군주가 다시 나타날 것이기 때문이었다.

복천암의 승려들에게도 이 소식이 들려왔다.

제자 학열(學烈)이 신미에게 물었다.

- 스님께서는 수양대군이 안평대군과 뭇 대신들 그리고 그들의 가족들까지도 모두 죽이고 권력을 얻은 일을 아십니까.

- 서울에서 이리로 올 때 예견이 되었느니라. 문종대왕을 이어 어리신 왕은 왕업이 준비된 채로 위(位)에 오르셨으나 수양대군과 안평대군은 왕업을 위한 마지막 준비를 금생에서 치르시어 한분은 왕위에 오르고 한분은 다음생의 왕업을 기약함이니라.

- 왕업을 위한 마지막 준비라니요.

- 문종대왕과 어리신 왕께서는 전생의 업적이 이미 왕업의 궤도에 올라 있었으니 살상의 파란(波瀾)이 없이 보위에 오르시었다. 그러나 수양대군과 안평대군은 탄생 전까지의 업적만 가지고는 왕업의 자격이 부족하였기에 금생에서 보충해야했던 것이다.

- 그럼 왕업의 자격이 부족한 자가 왕위에 오르고자 살생의 과정이 필요했단 말씀이군요. 불심을 닦는 신도가 살생을 하는 것이 왕업을 위해서는 용서가 될까요.

- 살생은 왕업을 준비하는 자들이 사바세계에서 경쟁되었기에 일어난 것이다. 출생 이전의 천상에서 경쟁을 하고 왕업의 준비를 완료

하고 태어났다면 그럴 일이 없을 것이다.

- 스님께서는 지상에서 일어나는 은원도 다 천상에서 예비한 바라 하지 않으셨습니까.

- 각자의 모든 업적이 원인이 되어 갈등과 경쟁이 빚어지는데 그 현상은 출생 전 천상에서도 일어날 수 있고 출생 후 지상에서도 일어날 수 있다. 천상에서 경쟁이 마무리 되면 지상에서 순탄히 왕위를 받을 자로 태어나고 천상에서 마무리되지 못하면 지상에서 마지막 경쟁 작업을 한다. 모든 것이 예비한 일이지만 지상에서 일어나면 우리는 크게 보고 심각하게 여기는데 우주의 운항(運航)의 관점에서 보면 똑같은 것이니라.

- 수양대군이 안평대군과 대신들 뿐 만아니라 그들의 자손까지 모조리 죽였는데 이것으로 후환이 없어질까요.

- 수양대군과 측근들에 불심이 충만하면 애초에 이런 일이 일어나지도 않았지만 정치싸움에 관계도 없는 자손들을 죽이는 것은 유가의 관점에 머물러 있기 때문이네. 금생의 모든 업적이 혈족자손에게 승계된다고만 보고 있으니 원수가 된 자들의 자손이 살아 있으면 자기의 자손들에게 해가 갈 것이라고 생각되어서 원수 될 집안을 멸망시키는데 그렇게 한다고 자기의 자손이 무사할 것이 아니네. 원수진 집안의 혼령은 자기네 집안이 멸문되어 집안사람이 더 이상 세상에 없으니 다시 가족으로 태어날 가까운 인연의 사람을 쉽게 찾지 못하

는데 그나마 가장 가까운 인연은 죽인자의 집안이 아니더냐.

- 결국 원한을 품은 혼령이 자기 후손으로 태어남으로써 자기집안의 형통은 기대하지 못하게 된다는 말씀이군요.

신미는 가만히 끄덕이고 이만 물러가라는 손짓을 했다.

수양대군은 실권을 잡고 나라를 통치했지만 여전히 중요한 일은 왕의 결재를 받아야 했다. 어린 왕은 특히 신하들 간의 갈등에 관련한 일은 매우 힘들어했다.

- 대군께서 직접 정사를 맡아 주시옵소서.

정인지 등 수양대군을 따르는 신하들이 청했다.

- 내게 역모를 하라는 것인가.

수양은 수차례 거절했지만 신하들은 뜻을 굽히지 않아 결국 조카를 상왕으로 밀어내고 왕위에 올랐다.

다음 해 성삼문 등이 주동이 되어 단종 복위를 계획한 일이 있자 왕은 관련된 신하들을 모두 죽이고 집현전을 폐지하고 왕과 신하 간의 학문과 정책 토론의 장(場)인 경연(經筵)을 폐지하고 집현전의 서적은 모두 예문관(藝文館)으로 옮기고 언론 활동을 제한하여 왕권을 강화했다.

- 이제 집현전도 사라지고 스님께서 궁궐에 방문할 구실도 사라졌습니다. 궁궐에서 시주는 들어오고 있지만 불심이 진정 남아있는지 모르겠습니다.

제자 학열은 다시 세태를 한탄했다.

신미는 아무 말이 없었다.

- 이러다간 왕가의 부도덕에도 불구하고 시주를 받는다고 해서 감싸주는 것이 우리 불교가 아닌지 모르겠습니다. 차라리 모든 것을 끊고 초야의 수도자로 나가는 것이 좋을지 모르겠습니다.

신미는 제자의 의문에 대답해야 했다.

- 세상의 흐름이 평탄치 못한 것은 다 이 땅의 모든 영혼들의 업보가 누적되어 터져 나오는 것일진대 불자의 길은 그 흐름을 갑자기 변화시키는 것이 아니라 그 와중에서 중생이 흐트러지지 않도록 붙잡아두고 저마다 탄생의 소명을 성취하고 극락으로 돌아가도록 도우는 것이다. 세상을 우리 뜻대로 바꾸고자 했더라면 태종대왕 때 조선이 억불숭유의 정책을 시작할 때부터 우리 불자들은 저항했을 것이고 세종대왕 때의 기회를 이용하여 불교를 나라운영의 중심사상으로 못박고자 노력했을 것이다. 궁궐에서 시주가 오면 오는 대로 대중교화에 힘을 더할 것이고 안오면 안오는 대로 빈궁한 중에 교화할 것이다. 왕실의 일로 백성의 덕성이 영향받지 않도록 힘써야 한다. 왕실의 귀한 신분은 사바세계의 업이 큰 때문이지 백성의 모범이 아니니 백성은 좌고우면하지 말고 자기의 업장해소에 힘쓰도록 불자들은 가르쳐야 한다.

이어서 이번에는 금성대군(錦城大君)의 거사탄로 사건이 일어났다. 이 일로 금성대군은 물론 노산군(魯山君)으로 격하된 상왕까지 죽임을 당했다.

다시 신미는 이 소속을 듣고 올 것이 다 왔노라 하는 논평을 남길 뿐이었다.

- 금성대군은 유배된 삶이 의미가 없으니 변화를 꾀할 수밖에 없던 것이었네. 상왕께서는 소년왕의 인생계획을 다시 이으려 곧바로 다시 태어나실 것이네.

- 상왕께서 돌아가신 후 상왕의 모후 현덕왕후 권씨가 상감의 꿈에 나타나 저주하며 너의 아들을 죽이겠다고 했다합니다.

- 사람의 나약한 혼령이 그렇게 봄일 뿐이다. 부처님은 자비하시니 보복을 위하여 사람의 운명을 설계하지 않으신다. 다만 이루지 못했던 일은 반드시 이루게 하신다.

노산군의 왕업이 중단된 것을 다시 잇는 과업은 시간을 두고 차근차근 이루어졌다. 단순히 수양의 아들을 죽여 보복을 하겠다는 것이 아니었다. 현덕왕후가 자기의 아들로 태어난 혼령을 다시 왕으로 세우기 위한 목적에 여러 사람의 운명이 맞춰지는 것이었다.

노산군은 저승에서 권씨를 만났다.

- 어머니 어찌 세상에 함께 사시지 않으셨나요. 소자는 원치도 않은 왕위에 몰라 시달리다가 도무지 무슨 목적을 위한 인생인지 모른 채로 돌아왔습니다.

- 아니다 다음의 업을 위한 준비를 거쳐 왔던 것이다. 다만 준비했던 기력이 충분하지 못해 지상에서 시작된 업이 중단된 것이었는데 이번에 다시 충분히 준비를 하여 너의 중단된 왕업을 다시 잇도록 하겠다. 부처님께서 너의 다음 탄생과 운명의 계획을 미리 짜 놓으시었다.

저승의 혼령은 지상에서 당한 일에 치를 떨며 복수를 준비하지 않는다. 다만 준비한바 있으나 중단된 업을 다시 잇고자할 뿐이다.

- 지상에서 왕이 된 숙부는 이미 아들이 있고 손자까지도 있는데요.

- 너의 왕업의 계획이 실현되도록 그들의 운명을 맞춰주실 것이다.

왕의 맏아들 의경세자(懿敬世子)에게는 이미 맏아들 월산군(月山君)이 있는데 노산군이 죽은 해에 둘째 아들 자을산군(者乙山君)이 태어났다. 노산군이 죽은 날이 음력 시월 이십일일인데 자을산군이 태어난 날은 음력 칠월 삼십일이니 두 왕족의 생애가 겹치지만 노산군의 혼령이 아직 삼개월도 안 된 아기 자을산군에 이미 깃든 혼령을 내보내고 대신 들어앉기는 어려운 것이 아니었다. 아기의 몸은 작아 혼령을 붙들 힘이 약하니 혼령이 임의로 들어오고 나가기가 용이하다.

왕세자가 있고 맏이인 왕세손이 있으니 자을산군은 세자라는 지위와는 거리가 멀었지만 그리 멀지 않은 시기(時機)에 다시 왕이 되고자 하는 신명의 계획은 빠르게 진행되었다. 시간의 흐름과 무관한 신명의 입장에서 기다리지 못해 서두르는 일은 없지만 시대환경이 지나치게 바뀌면 왕이 되어도 준비했던 왕업을 실천 못하니 왕위등극을 서둘러야 한다.

그래서 아이의 아버지인 세자가 이십세에 갑자기 죽었다. 이후 세조 왕을 피부병으로 괴롭혀 그리 오래지 않아 죽게 한 뒤 보위를 이은 차남도 일년만에 역시 이십세에 죽게 하고 때마침 의경세자의 맏아들 월산군은 병을 앓게 하고 드디어 계획대로 자을산군이 소년왕으로 등극하는 것이었다.

왕실의 변화

세조 왕은 즉위 삼년에 맏아들 의경세자를 병으로 잃었다. 세자는 이미 아이의 아버지이지만 아직 이십세였다.

- 생전의 인연을 따지면 제질(弟姪)이나 자식이나 마찬가지이거늘 당초에 함께 세상을 살기로 했던 혈육들을 내 스스로 쳐내고 말았으니... 아들 또한 내 뜻대로 함께 살지를 않는구나. 내 행적에는 반드시 업보가 따를 것이니 살아 권세가 있을 때 할 수 있는 한 공덕을 쌓아야 후생의 화(禍)를 감(減)하리로다.

하는 마음으로 그전에 대군으로서 했던 경전간행 등 각종의 佛事를 왕이 되어서 더욱 열심히 진행했다. 동생과 조카와 신하들을 죽이며 오른 보위에서의 허무감을 불교로 메우고자 했다. 그러나 이미 진행되는 재앙을 멈추기에는 역부족이었다.

재앙은 가족을 치고 다음엔 몸에 도달하여 왕의 몸에는 지독한 피부병이 걸렸다. 왕의 권력으로 얻을 수 있고 시킬 수 있는 모든 수단을 동원해도 치료는 범위 밖의 일이었다.

이렇게 하여 왕은 과거 궁중에서 많은 교류를 했던 신미대사를 만날 생각이 들었다.

이월에 신숙주 등 많은 신하를 대동하고 청주에 와서 이틀 쉬고 속리산으로 향했다. 보은 말티재를 넘는 길에 장송(長松)이 가지를 드리워서 진행하는 연(輦)의 지붕이 걸릴 것 같았다.

- 장송아 과인이 앞으로 나아가도 좋겠느냐.

손을 들어 가리키며 물으니 늘어진 가지가 번쩍 들려서 군사들이 힘들여 연을 낮추지 않아도 되었다.

- 참으로 가상(嘉尙)한 나무이다. 비록 과거를 보지는 않았지만 과인은 이 나무에게 정이품의 벼슬을 주노라.

하고 그 자리에서 옥새를 찍어 정이품의 벼슬을 주었다.

복천암에 도착하니 신미를 비롯한 많은 스님이 법당으로 안내했다. 법회에서 홍진(紅塵)에 물든 심신의 부끄러움을 가라앉히는 풍성한 법열(法悅)을 느꼈다.

법회의 의례 다음에 혜각존자 신미의 설법이 있었다.

사람은 신구의(身口意) 삼업(三業)을 짓나니 신업(身業)으로는 살생(殺生) 투도(偸盜) 사음(邪淫)을 짓고 구업(口業)으로는 망어(妄語) 기어(綺語) 양설(兩舌) 악구(惡口)를 짓고 의업(意業)으로는 탐애(貪愛) 진애(瞋碍) 치암(癡暗)을 짓노라. 삼업으로 인한 십악(十惡)의 죄를 매일 참회하여 업장에 빠지지 않도록 하라. 선남자야 신정(身淨)하고 구정(口淨)하고 의정(意淨)하여 세 가지 법을 갖추면 부처님의 도량에 이르게 되느니라.

안이비설신의(眼耳鼻舌身意)의 육근(六根)에 의한 안식(眼識)하는 시(視) 이식(耳識)하는 청(聽) 비식(鼻識)하는 취(臭) 설식(舌識)하는 미(味) 신식(身識)하는 촉(觸) 의식(意識)하는 심(心)의 육식(六識)으로 말미암는 색성향미촉법(色聲香味觸法)의 육경(六境)에 의존하여 따라 행하는 자가 중생이요 이네를 제어하는 자는 부처에 가까워지노라. 반야심경(般若心經)에 이르기를 공중무색(空中無色)이라 변화 중에 존재하는 것은 없어 집착할 것도 없다. 공(空)을 앎이 자비이며 지혜이다. 일체제법(一切諸法)이 변하지 않는 것이 없으니 색(色) · 수(受) · 상(想) · 행(行) · 식(識)의 오온(五蘊)과 六根 六境 六識이 모두 공하다. 六根과 六境 六識이 공하니 오로지 자신의 六根과 六識을 잘 다스리고 바깥경계인 六境에는 아무런 문제가 없고 죄도 없고 오직 자신의 六根과 六識이라.

중생은 색성향미촉법의 그림자를 저의 본마음으로 알고 있나니 육진(六塵)이란 사대가합(四大假合)이라 육신을 이루는 지수화풍(地水火風)이 화합한 망상(妄相)이니 흙과 물로 반죽하여 불기운과 바람을 불어넣은 물건이라 이를 테면 쓰고 사는 집일지언정 나는 아니오. 이것을 분리해야 진여(眞如)의 경지인 공적(空寂)에 돌아가도다.

중생이 일컬어 마음이라 하는 것은 그것이 정말 마음이 아니오 이목구비로 들어온 것을 받아들인 그림자에 불과하나니 생과 사가 본래 없음을 알고서도 벗어나지 못함은 공부가 부족한 탓이라.

그러나 생사가 사라지기 전에도 역시 실지로 있은 것이 아닌데, 생사가 있다고 잘못 인식했을 뿐이다. 그러므로 경에 선남자야 일체 중생이 끝없는 과거로부터 온갖 일에 잘못 생각함이 마치 혼미한 사람이 사방의 처소를 혼동하는 것과 같이 망령되이 四大를 자신의 모습으로 삼고, 육진연영(六塵緣影)이라 육진의 인연으로 생긴 그림자를 자기 마음의 형상으로 삼는다. 허공의 꽃을 보았고 허공의 꽃이 그 허공에서 사라졌다고 해도 사라진 곳이 있다고 말할 수 없음과 같다. 원래 생겨난 곳이 없기 때문이다. 일체 중생은 생겨남이 없는 데에서 망령되이 생멸을 보고 있다. 이런 때문에 이름을 생사에서 윤회한다고 말하는 것이다.

상근기(上根機)의 사람은 入於神通大光明藏三昧正受(입어신통대광명장삼매정수)하니 神通하여 대광명을 얻어 삼매경에서 받아들일 것이오.

중근기(中根機)의 사람은 무상법왕(無上法王)이 있는 대다라니문(大陀羅尼門) 앞에서 깨닫고

하근기(下根機)의 사람은 윤리의 법도를 따라 깨달으라.

법문을 듣고 왕은 많은 위안을 받았다. 불도가 높은 사람은 육체의 자신을 넘어 신통하여 그 자체로 깨닫고 어지간한 사람은 불도를 향한 탐구의 길에서 계시를 받아 각성하여 깨닫고 불도를 향한 의식이 정 부족한 사람이라도 불가에서 가르치는 윤리의 법도를 따르면 나름의 깨달음을 얻을 수 있다는 것이었다.

석가의 가르침은 공자의 가르침을 다 포용하고도 더 높고 넓도다. 불교의 오계 속에 유교의 오륜이 다 포함되니 불살생(不殺生)은 인(仁)이요 불투도(不偸盜)는 의(義)요 불사음(不邪淫)은 예(禮)요 불망어(不妄語)는 신(信)이요... 음 그런데 불음주(不飮酒)는 무엇인가. 육신의 쾌락을 위하여 육신의 기능을 떨어뜨리며 정신을 혼미하게 하는 것이 술이니 세상의 쾌락을 위하여 자기의 마음이 어리석게 되는 것을 막으라는 것이 불음주이고 곧 지(智)를 추구함이다.

그런데 인간의 번뇌와 생사를 끊고 무변중생(無邊衆生)을 제도(濟度)함은 유교에서는 엄두도 못 낸다. 그렇다고 유교가 필요 없는 것은 아니다. 중생에는 근기(根機)의 상중하라는 것이 있어 하근기에 속하는 이들로서는 고상한 불도를 깨닫지 못하니 현실의 범주에서

인간세상의 질서를 주장하는 유교의 알기 쉬움이 쓸데 있는 것이다. 하근기의 대중을 상대로 하는 정치에 있어서는 유신(儒臣)으로 족하다. 그러니 유학을 배워 대신(大臣)이나 관장(官長)이 된 자는 제 분을 지켜서 세간 정치의 범주에서 주장하고 자기의 근기로는 헤아리지 못하는 불도에 왈가왈부 말아야 할 것이다.

이것이 왕의 생각이었다.

삼일간의 기도와 법회를 마치고 떠날 무렵 신미는 왕에게 청원했다.

- 오대산 상원사에는 부처님 정골사리를 모신 적멸보궁(寂滅寶宮)이 있사옵니다. 오랜 세월로 심히 퇴락하여 민망한 지경에 있으니 대왕께서 이 보궁을 중수하시면 그 공덕이 헛되지 않을 것입니다.

왕이 승낙하니 신미는 제자 학열(學悅)을 상원사로 보내 적멸보궁에 정골사리를 봉안(奉安)하는 불사를 감독케 했다.

중수(重修)를 마치고 유월에 낙성식이 있자 신미는 상원사에 왕을 초청했다.

음력 유월의 염천(炎天)에 온몸의 피질(皮疾)은 땀이 덮여 더욱 악화되었다. 위병(衛兵)들이 둘러싼 왕의 거처 안에는 맑은 샘의 웅덩이가 있어 밤이 되자 왕은 혼자서 들어가 몸을 씻었다. 석간수(石間水)에 들어가니 전신이 녹아내릴 듯이 시원하면서 환부에 물이 닿아 찔리는 아픔 같은 것도 없었다.

문득 뒤에서 문지르는 손길이 있었다. 누군가. 지금은 아무도 거처 가까이 부르지 않았고 목욕을 가는 것도 알리지 않았다.

살짝 돌아보니 한 청의동자(靑衣童子)가 있었다. 너는 누구냐 어찌 들어왔느냐 물으려는 마음보다는 동자가 보드라운 두 손으로 등을 문지르니 받는 극한의 상쾌함이 중지될까 두려워 꼼짝 않고 그대로 있었다.

동자가 한 환부를 문지를 때마다 그 부위가 깨끗해지며 자신을 괴롭히던 죄책감도 하나하나 위안되는 것이었다. 그러면서 왕에게 전달되는 목소리가 있었다.

누가 네가 싸워서 왕위를 얻었다고 하여 왕세자로 순탄히 오른 자보다 악하다고 하겠느냐. 저들도 다 전생에서 싸워서 왕의 자리에 오른바 있는데 전생에서 왕의 운수를 다 소비하지 않았기 때문에 재생하여 절로 왕의 자리에 올랐을 뿐이다. 부처님이 보기에는 다 같이 영의 완성을 위하여 고난 겪는 가련한 중생일 뿐이다.

네가 노산군을 죽이면서까지 필히 왕이 되었어야 하는 것은 노산군으로 인해 진행될 예정이었던 신권정치의 시작을 늦추고 이윽고 다가올 법난(法難)을 늦추기 위해서였다.

네가 안평을 죽인 것은 안평과 너는 금생에서 함께 왕자수업을 받되 왕자수업의 윤생경험이 더 많은 네가 자리를 얻고 안평은 다음 생으로 하기로 천상에서 합의하지 않았더냐. 안평은 왕자수업 밖에는 금생의 목적이 없었느니라.

마음속에 들리는 소리는 죽인 자들과 자신과의 일은 본래 그럴만한 이유가 있던 인과의 법칙일 뿐이라는 것이었다. 계속해서 금성 삼문 팽년 등 피살육자들과의 업보관계가 감지되면서 평안이 더해졌다.

하지만 이제까지 죄책감의 고통은 주지 않으셨습니까.

왕이 항변하니 다시 마음의 소리는 들렸다.

업보가 어찌 있었던 간에 할 수 있는 한 금생에서의 죄를 참회함이 업장을 줄이기 위해 긴요하다. 금생의 죄는 되도록 금생에 경감하고 정리하도록 금생에 보응이 있는 것은 순리이나 이제 너의 정성스런 불심을 거두고 이 나라 백성의 안녕을 위하여 너는 금생의 여생 동안 용서를 받고 치리(治理)에 전념할 기간을 받느니라.

마침내 왕의 몸이 깨끗이 되었다. 그 때까지 동자는 그대로 있었다.

- 동자야 고맙다. 어디서 왔느냐.

- 대왕님 나중에 답해드리지요.

- 그래 오냐. 그런데 내가 너한테 부탁할 것이 있다.

- 대왕님 여부가 있겠사옵니까. 하교하옵소서.

- 내 몸에 손댔다는 말 절대 남한테 하지 말아라.

허락 없이 옥체에 손을 대면 극형에 처하게 되니 염려되어 말했지만 동자는 조금도 두려운 기색 없이 웃으며 왕에게 답했다.

- 저도 대왕님께 청이 있으니 들어주시옵소서.

- 허허, 그래 무엇이냐.

- 대왕님께서는 문수보살(文殊菩薩)이 대왕의 공덕을 갚고자 현신(現身)하여 몸을 문질렀다는 말을 하지 마세요.

깜짝 놀라 다시 돌아보니 동자는 없었다.

아침에 보니 전신은 흉터하나 없었다. 왕은 간밤의 기억을 장인(匠人)에게 설명하여 동자상을 만들게 하고 기념으로 그 안에 피부병의 흔적이 있는 속옷을 넣었다.

- 대군시절부터 혜각존자를 만나 마음의 울림이 일치하고 가고자 하는 길이 같았습니다. 속진(俗塵)의 나를 끌어안아 바른 길로 이끌어 탐욕에 빠지지 않게 하였습니다. 오늘에 이른 것이 어찌 스승의 공덕이 아니겠으며 우리가 다겁(多怯)의 인연이 아니면 어찌 이리 계합(契合)하겠습니까. 얼마간의 시주로 스승의 선업(善業)을 보(報)합니다.

신미로 인하여 왕이 바른길을 가서 탐욕에 빠지지 않았다는 것은 조카 단종과 두 동생 그리고 사육신과 여러 신하를 참살한 자로서 염치없게 보일 것이나 신미는 합장으로 배례하며 진심으로 왕의 복락을 빌었다. 신미와 수양은 지상에서 역할을 달리했을 뿐 천상에서 함께 이 나라의 기틀을 세우자는 합의를 하고 태어났으며 둘이는 쌍염

(雙炎)이라 할 정도의 친영(親靈)이었다. 모진 악연으로 살생의 죄를 범하던 중에는 세상에서 이보다 덜한 죄로 여겨지는 탐욕의 죄가 가벼이 보일 수 있다. 그러나 왕의 탐욕은 민생에 재앙에 되니 이것이 스승인 신미의 공덕으로 억제됨은 찬미할만한 것이었다.

상원사에서의 치유는 상위계에서 물질계의 문제를 덮어 감쌈으로써 통증을 없애고 몸의 빛깔을 살리는 데에 그쳤고 물질계에서 오래도록 곪아 파손된 신체조직을 완전히 되살리는 것은 아니었다. 국리민복을 위해 허용된 최소한의 수(壽)를 허락받았던 왕은 오래지 않아 자리를 세자에게 물려주고 상왕이 되어 신미대사를 청했다.

기다리는 동안 상왕은

我本不有 憎愛何有 (아본불유 증애하유)

내가 본래부터 있지 않으니 증오함이나 사랑함이란 것도 어찌 있겠는가.

衆生壽命 皆爲浮想 (중생수명 개위부상)

중생의 수명은 모두가 떠있는 것이니 부질없도다.

始知衆生 本來成佛 生死涅槃 猶如昨夢 (시지중생 본래성불 생사열반 유여작몽)

중생은 본래부터 부처를 이뤘는데 생겨나서 죽고 열반에 이름은 차라리 어젯밤의 꿈이나 같도다.

등의 구절을 암송하며 주변이 빛을 발하고 몸이 가볍게 날아오름을 느꼈다.

신미가 들어오며 절했다. 미처 예상 못했던 상왕은 앉은 채로 답례했다.

- 불배(不拜)하셔야 할 상인(上人)께서 어찌 절하시오.

- 상왕께서 빛을 발하시오니 대법왕 전에 절을 드림입니다.

신미는 상왕이 깨달음을 얻고 있음을 알았다.

- 사대각리(四大各離)할 때가 되도록 삼칠구애참회(三七求哀懺悔)를 하지 못했으니 법을 들려주시오.

흙과 물을 반죽하여 불기운을 바람 불어 넣은 존재인 몸이 다시 흙과 물과 불과 바람의 四大로 나뉘어 흩어질 때가 되었는데 그동안 임금의 자리에 있었기에 못했던 슬픔속의 참회의식을 대신할 자리를 원하는 것이었다.

상왕은 불교를 알기 전에 저지른 일을 불교를 알고 나서 참회하는 것이 아니었다. 참회할 일이라는 것은 이미 불교의 가르침을 받고 석보상절을 신미와 함께 집필하고도 그 이후에 벌어진 일이었다.

참회가 아닌... 예정된 업을 거치면서도 괴로워하는 가련한 삶을 위로함이 합당하리라. 신미는

- 이미 법을 체득하심인데 산승(山僧)이 무슨 법을 또 설하리이까.

하고 단지 합장과 염불만을 했다. 상왕은 그런 중에 영혼의 다음

여정을 떠났고 육신은 다음날 기식(氣息)을 종료했다.

왕업을 다시 이룩하기 위한 신명의 작업은 인간이 바라는 순리를 넘어서는 것이었다. 보위를 이은 왕 예종(睿宗)은 즉위와 함께 강력한 왕권으로 개혁정치를 추진했지만 이제 더 이상 왕권정치는 시대와 신료계층이 인내하지 않았고 일년만에 역시 그의 형과 같은 나이인 이십세에 죽었다. 예종의 원자는 너무 어려 의경세자의 아들 쪽으로 왕위계승이 돌려졌는데 그전부터 의경세자의 둘째아들 자을산군이 영특하다 하였기에 드디어 소년왕에 오르게 되었다. 태종에 의해 저지되고 세조에 의해 연기되었던 臣權정치는 신료친화적일 수밖에 없는 어린 왕의 등극을 계기로 다시 시작되고 조선왕국을 운영하는 靈侖의 변화도 진행되었다.

이후 초기에 지상을 방문했던 왕격신명단의 영혼이 더 이상 왕손으로 태어나지 않으려하여 적자로는 왕위가 이어지지 않았고 심지어 왕손이 단절되어 친척 중에서 왕이 되기도 하였다. 유전적으로는 근근이 승계가 되어도 초기의 왕가와는 영륜이 달라져 갔으니 초기 사대부에 만연했던 중화사상이 왕가에 전이되어 후기에는 대륙의 중화왕조가 또다시 변방민족에게 몰락하고 청나라가 들어서자 조선은 중화의 정통후계를 자처하며 명의 연호(年號)를 이어가다 마침내 대청제국(大淸帝國)에 맞서 대한제국(大韓帝國)을 건국했다.

작자 후기

한글의 창제과정에 관한 이야기는 이미 많이 있다. 그런데 우리에게 중요한 것은 한글의 지나온 발자취보다 앞으로의 한글이 어떻게 되느냐 하는 것이다. 작자는 한국어의 현 상황을 고려할 때 한글이 이렇게 계속 나아갈 수는 없음을 생각했다. 이대로는 한자문화권 이탈에 따른 수천년 전통문화의 말살과 영어권편입의 결과가 기다리고 있을 뿐이라고 보였다. 그리하여 한글에 대한 칭송일변도를 벗어나 이천년 이상 한자문화의 나라로서 있었던 우리민족의 정체성도 중요한 고려대상으로 삼았다.

이제까지 훈민정음 창제를 소재로 한 소설에서 한글창제를 선(善) 반대하는 유학자들을 악(惡)으로 이분화하던 구도에서 탈피하여 한글창제에 관련한 다양한 입장에서의 선의를 반영하고자 노력했다. 인간이란 선한 존재라는 믿음 더구나 조선 오백년의 나라기틀을 세운 지도계층의 양식(良識)을 믿는 신념에 따른 것이었다.

국왕의 입장에서는 기존의 한자문화권 국민과 외국에서 귀화한 새 백성들을 아우르는 소리글자를 만들어 지난 시절보다 넓혀진 강역(疆域)을 지켜야 할 것이었다. 유신(儒臣)의 입장에서는 이제까지 국민에게 유학에 기반을 둔 삶의 철학을 공부시키는 것에 이두가 역할을 했는데 학문을 안 하고도 기록생활을 할 수 있도록 하는 한글의 창제는 우려스러운 것이었다. 결국 왕명에 따르기 위한 타협안은 한글은 어리석은 백성만을 위한 단순한 글자로 역할을 한정하는 것이었다.

신미대사의 한글창제의 우선목적은 불경을 모든 백성이 읽도록 하는 것이었다. 신미대사가 훈민정음 창제과정에서 우리말의 성조발음표기능력을 갖추게 하려 했다는 것은 픽션이나 실제로 신미대사는 어떤 정치적인 의도에 따른 편향성이 없었으니 새로이 창제한 우리글이 범어의 실담자와 같이 불경의 모든 의미의 전달이 가능하도록 노력했을 것이다.

이 소설에서는 훈민정음창제를 찬성했던 김문이 심경이 변화하여 반대로 돌아섰던 이유, 정창손이 부류천성론을 주장한 입장 등을 설명했다. 그리고 역시 이유가 밝혀지지 않은 수양대군의 잦은 작호변경의 이유도 밝혔다. 이러한 것들은 소설이기에 가능했던 '진상규명'이다. 물론 실체적 진실에 부합한다는 보장은 안 되나 현실 논리의 타당성이 있으면 여느 사실(史實) 못지않게 역사관 정립을 위한 가치가 있을 것이다.

우리 민족은 이 땅에서 수천년을 살아오면서 많은 기간을 불교와 함께 살았다. 시대가 변하고 다스리는 나라의 체제도 변하면서 한 때는 유교 지금은 서양과학이 나라의 주된 가치관의 잣대로 사용되고 있지만 민족의 정신을 오랫동안 길러온 정신적 양식이 불교임은 변할 수 없는 사실이다. 오늘날 가치의 혼란시대에 오랜 불교국으로 살아온 우리 민족이 취해야 할 태도를 다시금 생각하고자 한다.

소설의 세계에서 앞서 창작된 소설은 그대로 실재(實在)의 역사가 된다. 이 글이 완성되기까지에는 춘원(春園)의 〈세조대왕〉을 비롯하여 유사배경의 여러 선작(先作) 소설의 내용이 사실소재로서 다루어졌다.

신미대사의 한글창제과정을 살피면서 훈민정음의 반포의 진정한 의미를 찾아보게 된 데는 月性스님의 연구에 따른 것이다. 오랫동안 속리산 복천암에서 신미대사를 연구해온 월성스님은 신미대사의 훈민정음 창제주역설을 제시했다. 세종대왕의 실질적인 왕사(王師)였던 신미대사가 속리산 복천암에 30년 넘게 머물며 훈민정음창제의 산파역을 담당했다고 처음 밝혀주었다. 이 책이 나오기까지 많은 도움을 주신 낙성대 수선원 남혜스님, 박종민, 태연 자용스님 그리고 그 외 여러분들께 우선하여 감사를 드린다.

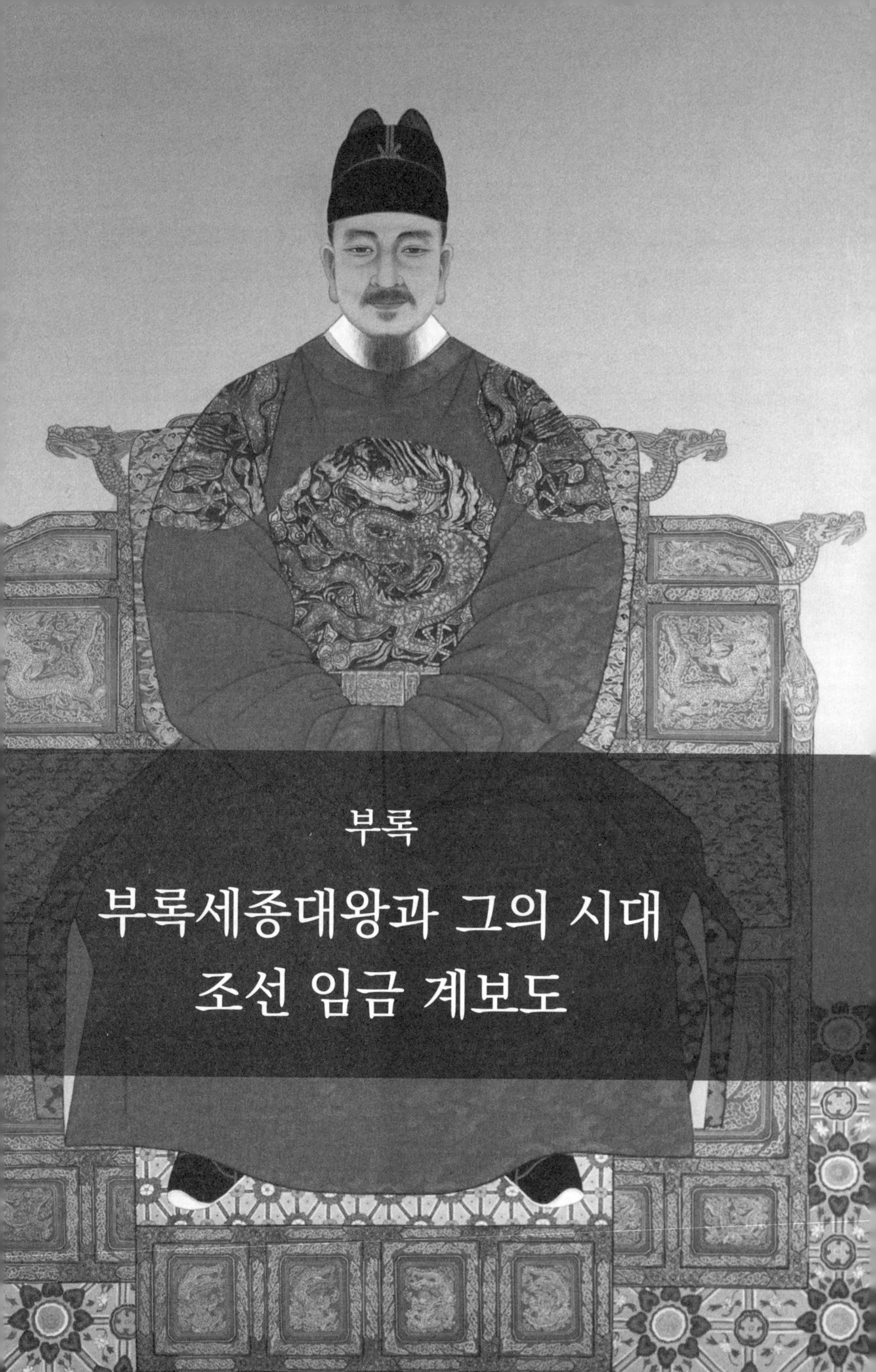

부록

부록세종대왕과 그의 시대
조선 임금 계보도

세종대왕과 그의 시대

세종(世宗)의 성(姓)은 이(李)이고, 휘(諱)는 도이며, 자는 원정(元正)이고, 시호는 '세종 장헌 영문 예무 인성 명효 대왕(世宗莊憲英文睿武仁聖明孝大王)'이다.

연대	월	내 용
1397년 (1세, 태조 6년)	4월	10일(양력 5월 15일) 정안군 이방원과 여흥 민씨(원경왕후)의 셋째 아들로 한성부 북부 준수방의 잠저에서 탄생하다.
1398년 (2세, 태조 7년)	8월	정안군 이방원이 정도전, 남은, 방번, 방석, 이제 등을 격살하다.
	9월	태조의 왕위계승으로 방과가 왕위에 오르다(정종).
1400년 (4세, 정종 2년)	1월	정안군 방원이 형 방간을 토산으로 내보내다. 정종이 정안군 방원에게 왕위를 이양하다.
1408년 (12세, 태종 8년)	2월	충녕군에 책봉되고, 심온의은 딸과 결혼하다.
1412년 (16세, 태종 12년)	5월	추영군에서 충녕대군으로 진봉되다.
1417년 (21세, 태종 17년)	9월	충녕대군 대광보국(정1품의 직책)에 오르다.
1418년 (22세, 태종 18년)	6월	세자 제가 폐위 양녕대군으로 강봉되고, 충녕대군이 왕세자로 책봉되다.
	8월	경복궁 근정전에서 태종이 세자 충녕대군에게 왕위를 넘겨주어 조선조 제4대 임금으로 즉위하다.
	9월	군사적인 실권은 태종이 갖고 있으면서 삼군부를 강화하다.
1419년 (23세, 세종 원년)	5월	왜구가 침입하여 6월에 이종무가 227척의 병선을 이끌고 대마도를 정벌하다.
	9월	예문관 대제학 유관, 의정부 참찬 변계량에게 〈고려사〉를 개정하게 하다.
	9월	정종이 인덕궁에서 승하하다.

연대	월	내 용
1420년 (24세, 세종 2년)	1월	전국의 효자, 절개가 있는 부인(절부)이나, 의로운 남편(의부), 순손(조부모를 잘 받들어 모시는 손자)을 찾아서 표창하다.
	윤1월	대마도를 경상도의 계림부에 편입시키다.
	3월	집현전의 기구를 확장하여 궁중에 설치하다.
	7월	어머니 원경왕후가 돌아가시다.
	10월	주자소에서 활자를 만들기 시작하다.
1421년 (25세, 세종 3년)	3월	주자소에서 활자(경자년인 1420년에 시작하여 경자자)를 완성하고 인쇄술을 개량하다.
	6월	형벌제도를 정비하여 마구 곤장을 때리지 못하도록 하다.
	10월	원자 향(후에 문종)을 세자를 책봉하다.
	12월	죄인의 억울함을 적게 해주고자 사죄삼복법을 정하여 엄격히 시행하도록 하다.
1422년 (26세, 세종 4년)	1월	도성 개축공사를 시작하여 2월 23일에 마치다.
	5월	태종이 연화방에서 돌아가시다.
	8월	홍복사라는 절에 백성구휼기관인 진제소를 설치하여 빈민구제사업을 시작하다.
	10월	오랑캐가 경원부에 침입하다.
1423년 (27세, 세종 5년)	4월	경원부에 목책을 쌓다.
	9월	조선통보를 주조하게 하다.
	12월	춘추관의 지관사 변계량과 동지관사 윤회에게 선왕대의 실록을 편찬하게 하다.
1424년 (28세, 세종 6년)	4월	불교의 여러 종파들을 선종·교종 합해서 36사로 통합하다.
	8월	유관, 변계량, 윤회 등이 〈고려사〉 편찬을 완료하다.
	12월	악기도감에서 악기를 제조하다.

연대	월	내 용
1425년 (29세, 세종 7년)	2월	처음으로 동전을 주조하여 사용하다.
	2월	악서를 편집하게 하고, 향악, 단악, 아악의 율조를 비교하여 악기와 악보법을 그리고 써서 책으로 만들게 하다.
	4월	대제학 변계량이 화산별곡을 지어 바치니, 이를 악부에 올려 궁중연회를 할 때 쓰도록 지시하다.
	9월	평양에 단군사당을 세우게 하다.
	11월	주자로 인쇄한 사마천의 사기를 신하들에게 나누어 주다.
1426년 (30세, 세종 8년)	2월	영의정 이직, 찬성 황희, 이조판서 허조 등이 속육전을 편집 개정하여 바치다.
	2월	한성부에 큰불이 일어나다. 이를 계기로 방화법을 세우고, 금화도감을 설치하다.
	4월	가산을 몰수하는 제도를 폐지하다.
	10월	집현전 관리들에게 지시하여 경복궁의 각 문과 다리의 이름을 짓도록 하다.
1427년 (31세, 세종 9년)	2월	절의 토지를 몰수하여 군자감(조선시대의 군수 식료품 조달관청)에 소속시키다.
	9월	향악구급방을 간행하여 반포하다.
1428년 (32세, 세종 10년)	7월	처음으로 종학을 세워 대군이나 왕실의 자제들을 교육하게 하다.
1429년 (33세, 세종 11년)	5월	정초에게 지시하여 〈농사직설〉을 만들게 하다.
	7월	신라, 고구려, 백제의 시조묘에 제사를 지내다.
1430년 (34세, 세종 12년)	2월	〈농사직설〉을 전국에 반포하다.
	11월	등에 매질하는 형벌을 법으로 금지하다.
	윤12월	아악보가 만들어지다.

연대	월	내 용
1431년 (35세, 세종 13년)	3월	명나라에 유학생을 보내어 산법을 배우게 하다.
	3월	춘추관에서 〈태종실록〉 편찬을 마치다.
	4월	광화문을 세우다.
	4월	김문기에게 태조실록, 정종실록, 태종실록을 충주사고에 봉안하도록 지시하다.
	9월	황희를 영의정으로, 맹사성을 좌의정으로, 권진을 우의정으로 임명하다.
	11월	여연군에 성을 쌓다.
1432년 (36세, 세종 14년)	1월	맹사성 등이 〈신팔도지리지〉를 편찬하다.
	6월	설순 등이 〈삼강행실도〉를 편찬하다.
	10월	북방에서 귀화하여 새로 천민으로 편입된 신백정의 자식들에게 향학에 입학하는 것을 허가하다.
1433년 (37세, 세종 15년)	4월	최윤덕을 사령관으로 임명하여 파저강 일대의 이만주 일파를 토벌하다.
	6월	사군을 설치하여 국경이 압록강에 이르게 함.
	6월	정초, 박연, 김진 등이 혼천의(천체 측정기)를 제작하여 바치다.
	6월	집현전 직제학 유효통, 전의 노중례 등이 〈향약집성방〉 85권을 만들어 바치다.
	9월	장영실이 자격궁루를 만들다.
1434년 (38세, 세종 16년)	4월	〈삼강행실도〉를 인쇄하게 하다.
	7월	장영실이 만든 자격루를 사용하다.
	7월	이천이 조판활자법을 개량하여, 새로운 동활자 갑인자를 만들다.
	10월	앙부일구(해시계)를 혜정교와 종묘 앞에 설치하여 해를 관측하다.
1435년 (39세, 세종 17년)	2월	화약을 제조하고 화약고를 설치하다.
	7월	경복궁 안에 주자소를 설치함.
1436년 (40세, 세종 18년)	4월	〈자치통감훈의〉를 만들어 배포하다.
	7월	〈강목〉을 편찬하다.
	12월	납활자인 병진자를 만들다.

연대	월	내 용
1437년 (41세, 세종 19년)	4월	일성정시의(밤낮의 시각을 알리는 기기)를 만들다.
	9월	여진을 정벌하고 6진을 설치, 국경이 동북으로 두만강에 이르게 하다.
1438년 (42세, 세종 20년)	1월	장영실이 흠경각[경복궁의 강녕전 옆에 지은 전각으로 물이 흘러 자동으로 움직이는 천문 시계 옥루를 설치하였던 곳] 건설을 완료하다.
	7월	공법을 경상, 전라도에 시행하다.
	11월	〈신주무원록〉을 편찬하다.
1440년 (44세, 세종 22년)	2월	성혼기를 정해서 남자 16세, 여자 14세 이상으로 하다.
	9월	평안도에 장성을 쌓다.
1441년 (45세, 세종 23년)	1월	처음으로 근정전에서 조회를 하다.
	6월	정인지에게 〈치평요람〉을 편찬하게 하다.
	7월	충청도에 공법을 시행하다.
	8월	측우기를 제작하다.
	10월	화초(대나무에 구멍을 뚫고 회침, 마름쇠, 화약 따위를 넣은 다음 심지에 불을 당겨 적을 향하여 던지던 일종의 화약총)를 처음으로 만들다.
1442년 (46세, 세종 24년)	5월	측우기를 실제로 사용하게 하다.
	6월	종친이 이 씨 성과 혼인하는 것을 금지하다.
	8월	〈고려사〉를 편찬하다.
	11월	함길도의 종성 다온에 둔전을 설치하다.
1443년 (47세, 세종 25년)	2월	통신사 변호문, 신숙주 등이 대마도주 소오와 세견선[세종 때 대마도 도주의 청원을 들어주어 삼포를 개항하고, 내왕을 허락한 무역선. 중종 5년 삼포왜란 뒤로는 그 수를 반으로 줄이고, 제포 한 곳만을 개항하였다.]을 50척으로 약정하는 계해조약을 체결하다.
	4월	세자에게 정사를 섭행케 하다.
	9월	함길도 온성군, 종성군의 행성이 완성되다.
	11월	전제를 정하는 관서(전제 상정소)를 설치하다.
	12월	〈훈민정음〉을 창제하고 언문청을 설치하다.

연대	월	내 용
1444년 (48세, 세종 26년)	2월	집현전 학자들에게 명하여 언문(한글)으로 운회를 번역하게 하고, 세자와 진양대군, 안평대군에게 그 일을 관장하게 하다.
	2월	집현전 부제학 최만리 등이 〈훈민정음〉 반대 상소를 하다.
	11월	대마도의 세견선을 4척으로 다시 정하다.
1445년 (49세, 세종 27년)	3월	화포의 제작을 장려하다.
	3월	〈칠정산내외편〉을 편찬하다.
	4월	〈용비어천가〉를 짓다.
	6월	사관이 비로소 서연에 들어가다.
	7월	절도 3범 이상인 자는 교수형에 처하다.
	8월	각도에 감독관을 파견하여 화포를 만들게 하다.
	11월	〈태조실록〉15권, 〈공정왕(정종)실록〉 6권, 〈태종실록〉 36권을 춘추관의 실록각, 충주사고, 전주사고, 성주사고 등 4대 사고에 나누어 보관하게 하다.
1446년 (50세, 세종 28년)	3월	소헌왕후가 수양대군의 집에서 돌아가시다(7월 영릉에 모시다).
	9월	양력으로는 10월 9일에 〈훈민정음〉을 반포하다.
	11월	언문청을 설치하다.
	12월	이과와 이전 시험에 〈훈민정음〉을 시험과목으로 정하다.
1447년 (51세, 세종 29년)	4월	관리 시험에 먼저 〈훈민정음〉을 시험하여 합격한 자에게만 다른 시험을 보게 하다.
	7월	〈석보상절〉, 〈월인촌강지곡〉을 편찬하다.
	8월	숭례문(남대문)을 개축하다.
	9월	〈동국정운〉 6권을 편찬하다.
	10월	〈용비어천가〉 5백 50본을 군신들에게 내려주다.
1448년 (52세, 세종 30년)	3월	집현전에서 세종의 지시로 사서를 언문으로 번역하게 하다.
	7월	궁 안에 불당을 건립함.
	7월	성균관의 생도들이 불당 건립을 반대하여 휴학하다.

연대	월	내 용
1449년 (53세, 세종 31년)	12월	취풍형, 여민락, 치화평 등의 신악을 연회에서 연주하게 하다.
	12월	〈석보상절〉, 〈월인천강지곡〉을 간행하다.
1450년 (54세, 세종 32년)	2월	영응대군의 집인 동별궁에서 17일(양력 3월 16일)에 돌아가시다.
	3월	세종대왕의 시호를 영문 예무 인성 명효라고 하고, 묘호를 세종이라 하다.
	6월	소헌왕후 심씨가 안장된 영릉 서실에 합장하다.
1452년 (문종 2년)	2월	세종대왕의 신도비를 영릉에 세우다.
	2월	〈세종실록〉을 편찬완료하다.

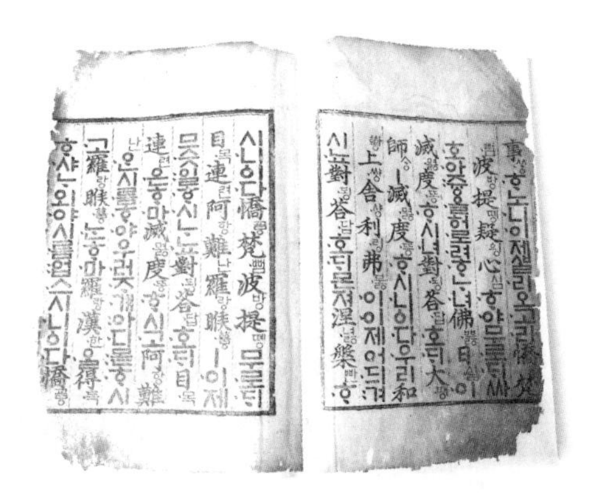

세종시대를 중심으로 한 관직 비교

중국		고려			조선	
당	송	제관전	예문관	성균관	정종	세종
						영전사
대학사	대학사	대학사(대제학)	대제학			대제학
학사	학사	제학(학사)	제학			제학(부제학)
직학사	직학사	직제학(직학사)	직제학			직제학
	직원	직각				직전
		응교	응교			응교
교리	교리				교리	교리(부교리)
수찬	수찬		수찬			수찬(부수찬)
				박사		박사
종자						저작
					정자	정자

직제	품계	집현전관
영전사	정1품	박은, 이원
대제학	정2품	유관, 변계량
제학	종2품	탁신, 이수
부제학	정3품	
직제학	종3품	신장, 김자
직전	정4품	
응교	종4품	어변갑, 김상직
교리	정5품	설순, 유상지
부교리	종5품	
수찬	정6품	유효통, 안지
부수찬	종6품	
박사	정7품	김돈, 최만리
저작	정8품	
정자	정9품	

조선왕조 품계표

세종시대를 중심으로 한 관직 비교

등급	품계	1392년 (태조 1년)	
		문산계	무산계
1	정1품	특진보국숭록대부	
2		보국숭록대부	
3	종1품	숭록대부	
4		숭정대부	
5	정2품	정헌대부	
6		자헌대부	
7	종2품	가정대부	
8		가선대부	
9	정3품	통정대부	절충장군
10		통훈대부	과의장군
11	종3품	중직대부	보의장군
12		중훈대부	보공장군
13	정4품	본정대부	위용장군
14		봉열대부	위의장군
15	종4품	조산대부	선절장군
16		조봉대부	선략장군
17	정5품	통덕랑대부	충의교위

* **관계** : 관계는 관료의 지위와 신분을 나타내는 공적인 질서체계로 고려 때는 문무반이 통용되었으나 조선시대에는 문반과 무반이 나뉘어졌다. 이후 왕실의 종친과 부마를 우대할 목적으로 종친계, 의빈계가 신설되었다.

<table>
<tr><th colspan="4">경국대전</th><th rowspan="2">관</th></tr>
<tr><th>문산계</th><th>무산계</th><th>종친계</th><th>의빈계</th></tr>
<tr><td>대광보국숭록대부</td><td></td><td>현록대부</td><td>수록대부</td><td rowspan="9">당상관</td></tr>
<tr><td>보국숭록대부</td><td></td><td>흥록대부</td><td>성록대부</td></tr>
<tr><td>숭록대부</td><td></td><td>소덕대부</td><td>광덕대부</td></tr>
<tr><td>숭정대부</td><td></td><td>가덕대부</td><td>숭덕대부</td></tr>
<tr><td>정헌대부</td><td></td><td>숭헌대부</td><td>봉헌대부</td></tr>
<tr><td>자헌대부</td><td></td><td>승헌대부</td><td>통헌대부</td></tr>
<tr><td>가정대부</td><td></td><td>중의대부</td><td>자의대부</td></tr>
<tr><td>가선대부</td><td></td><td>정의대부</td><td>순의대부</td></tr>
<tr><td>통정대부</td><td>절충장군</td><td>명선대부</td><td>봉순대부</td></tr>
<tr><td>통훈대부</td><td>어모장군</td><td>창선대부</td><td>정순대부</td><td rowspan="8">당하관

참상관
(조회에 참석할 수 있는 종6품 이상의 관원을 말함)</td></tr>
<tr><td>중직대부</td><td>건공장군</td><td>보신대부</td><td>명신대부</td></tr>
<tr><td>중훈대부</td><td>보공장군</td><td>자신대부</td><td>돈신대부</td></tr>
<tr><td>봉정대부</td><td>진위장군</td><td>선휘대부</td><td></td></tr>
<tr><td>봉열대부</td><td>소위장군</td><td>광휘대부</td><td></td></tr>
<tr><td>조산대부</td><td>정략장군</td><td>봉성대부</td><td></td></tr>
<tr><td>조봉대부</td><td>선략장군</td><td>광성대부</td><td></td></tr>
<tr><td>통덕랑</td><td>과의장군</td><td>통직랑</td><td></td></tr>
</table>

등급	품계	1392년 (태조 1년) 문산계	1392년 (태조 1년) 무산계
18	정5품	통선랑	현의교위
19	종5품	봉직랑	현신교위
20		봉훈랑	창신교위
21	정6품	승의랑	돈용교위
22		승훈랑	진용교위
23	종6품	선교랑	승의교위
24		선무랑	수의교위
25	정7품	무공랑	돈용부위
26	종7품	계공랑	진용부위
27	정8품	통사랑	승의부위
28	종8품	승사랑	수의부위
29	정9품	종사랑	
30	종9품	장사랑	

문산계 : 조선시대 문반에게 지급한 관계(고려시대와 달리 4품 이상을 대부계, 5품 이하를 낭계로 설정했으며 낭계를 쌍계로 개편했음)

무산계 : 조선시대 무반에게 지급한 관계(9품 이하가 설치되지 않아 제도상 불합리했던 것을 세종 18년에 무산계에 정9품과 종9품을 설치)

경국대전				관
문산계	무산계	종친계	의빈계	
통선랑	충의교위	병직랑		당하관 참상관 (조회에 참석할 수 있는 종6품 이상의 관원을 말함)
봉직랑	현신교위	근절랑		
봉훈랑	창신교위	신절랑		
승의랑	돈용교위	집순랑		
승훈랑	진용교위	종순랑		
선교랑	여절교위			
선무랑	병절교위			
무공랑	적순부위			참하관
계공랑	분순부위			
통사랑	승의부위			
승사랑	수의부위			
종사랑	효력부위			
장사랑	전력부위			

종친계 : 조선시대 종친들에게 주어진 관계(특별우대이면서도 정치에 직접 간여할 수 없도록 하려는 의도가 내포)

의빈계 : 조선시대 왕녀나 왕세자녀와 혼인한 부마들에게 주던 관계

조선왕조 품계별 관직

등급	품계	경국대전	
		문산계	무산계
1	정1품	대광보국숭록대부	
2		보국숭록대부	
3	종1품	숭록대부	
4		숭정대부	
5	정2품	정헌대부	
6		자헌대부	
7	종2품	가정대부	
8		가선대부	
9	정3품	통정대부	절충장군
10		통훈대부	어모장군
11	종3품	중직대부	건공장군
12		중훈대부	보공장군
13	정4품	봉정대부	진위장군
14		봉렬대부	소위장군
15	종4품	조산대부	정략장군
16		조봉대부	선략장군
17	정5품	통덕랑	과의교위
18		통선랑	충의교위
19	종5품	봉직랑	현신교위
20		봉훈랑	창신교위
21	정6품	승의랑	돈용교위
22		승훈랑	진용교위
23	종6품	선교랑	여절교위
24		선무랑	병절교위
25	정7품	무공랑	적순부위
26	종7품	계공랑	분순부위
27	정8품	통사랑	승의부위
28	종8품	승사랑	수의부위
29	정9품	종사랑	효력부위
30	종9품	장사랑	전력부위

관직
영의정, 좌의정, 우의정, 영사, 감사, 종친부의 군, 충훈부의 부원군, 의빈부의 위 등
좌찬성, 우찬성, 돈령부·의금부·중추원의 판사, 종친부의 군, 충훈부의 군, 의빈부의 의 등
좌참찬, 우참찬, 지사, 육조 판서, 한성부 판윤, 대제학, 도총관, 제조 등
동지사, 육조 참판, 한성부 좌우윤, 대사헌, 홍문관·예문관 제학, 관찰사, 부총관, 통제사 등
도정, 부위, 참의, 참지, 승정원 6승지, 대사간, 부제학, 좨주, 수찬관, 팔도의 목사, 대도호부사, 병마절제사, 수군절도사 등
부정, 집의, 사간, 전한, 대호군, 부사, 병마첨절제사, 수군첨절제사, 병마우후 등
사인, 규장각 직각, 사헌부 장령, 시강관, 응교, 사예, 편수관, 호군, 수군우후 등
경력, 첨정, 서윤, 부응교, 편수관, 부호군, 동첨절제사, 병마만호, 수군만호 등
검상, 정랑, 지평, 사의, 헌납, 교리, 직장, 찬의, 별좌, 사직 등
도사, 감부, 도할, 판관, 교리, 부교리, 현령 등
좌랑, 감찰, 정언, 수찬, 전적, 기사관, 검교, 별제, 사과, 함경도·평안도 병마평사 등
주부, 도사, 겸교수, 기사관, 별제, 부수찬, 찰방, 현감, 부장, 부사과, 병마절제도위 등
주서, 참군, 박사, 봉교, 기사관, 설서, 사경, 낭청, 사정, 참군 등
직장, 기사관, 종사. 전회, 부사정, 수문장 등
사록, 저작, 대교, 학정, 부직장, 기사관, 별검, 사맹 등
봉사, 기사관, 전곡, 별검, 상문, 부사맹 등
전경, 정자, 기사관, 검열, 학록, 부봉사, 훈도, 사용 등
참봉, 부정자, 분교관, 학유, 감역관, 전화, 도사, 수봉관, 부사용, 초관, 수군 별장 등

조선왕조 내외명부 봉작

품계	내명부	세자궁	외명부		
			왕실	종친 부인	문무관 부인
무품			공주		
			옹주		
정1품	빈		부부인	부부인	
				군부인	정경부인
종1품	귀의		봉보부인	군부인	정경부인
정2품	소의		군주	현부인	정부인
종2품	숙의	양제		현부인	정부인
정3품	소용		현주	신부인	숙부인
				신인	숙인
종3품	숙용	양원		신인	숙인
정4품	소원			혜인	영인
종4품	숙원	승휘		혜인	영인
정5품	상궁			온인	공인
	상의				
종5품	상복	소훈		온인	공인
	상식				
정6품	상침			순인	의인
	상공				
종6품	상정	수규			의인
	상기	수칙			
정7품	전빈				안인
	전의				
	전선				
종7품	전설	장찬			안인
	전제	장정			
	전언				

품계	내명부	세자궁	외명부		
			왕실	종친 부인	문무관 부인
정8품	전찬				단인
	전식				
	전약				
종8품	전등	장서			단인
	전채	장봉			
	전정				
정9품	주궁				유인
	주상				
	주각				
종9품	주변치	장장			유인
	주치	장식			
	주우	장의			
	주변궁				

* '내명부'의 정3품 소용은 당상과 당하의 구분이 없으며, 종4품 숙원 이상의 담당 직무가 없는 후궁

* '외명부-왕실'의 공주는 왕의 본처 소생, 옹주는 첩 소생, 부부인은 왕비의 어머니, 봉보부인은 왕의 유모, 군주는 왕세자의 본처 소생, 현주는 왕세자의 첩 소생.

* '종친 부인'의 부부인은 왕의 본처 소생 대군의 본처, 정1품 군부인은 왕의 첩 소생 군의 본처, 종1품 군부인 이하는 왕실 각 종친의 본처를 가리킴

* '문무관 부인'의 정경부인 이하 유인 이상은 각급 문무관 관원의 본처. 이조에서 교지 또는 교첩을 발급하였음.

세종 가계도

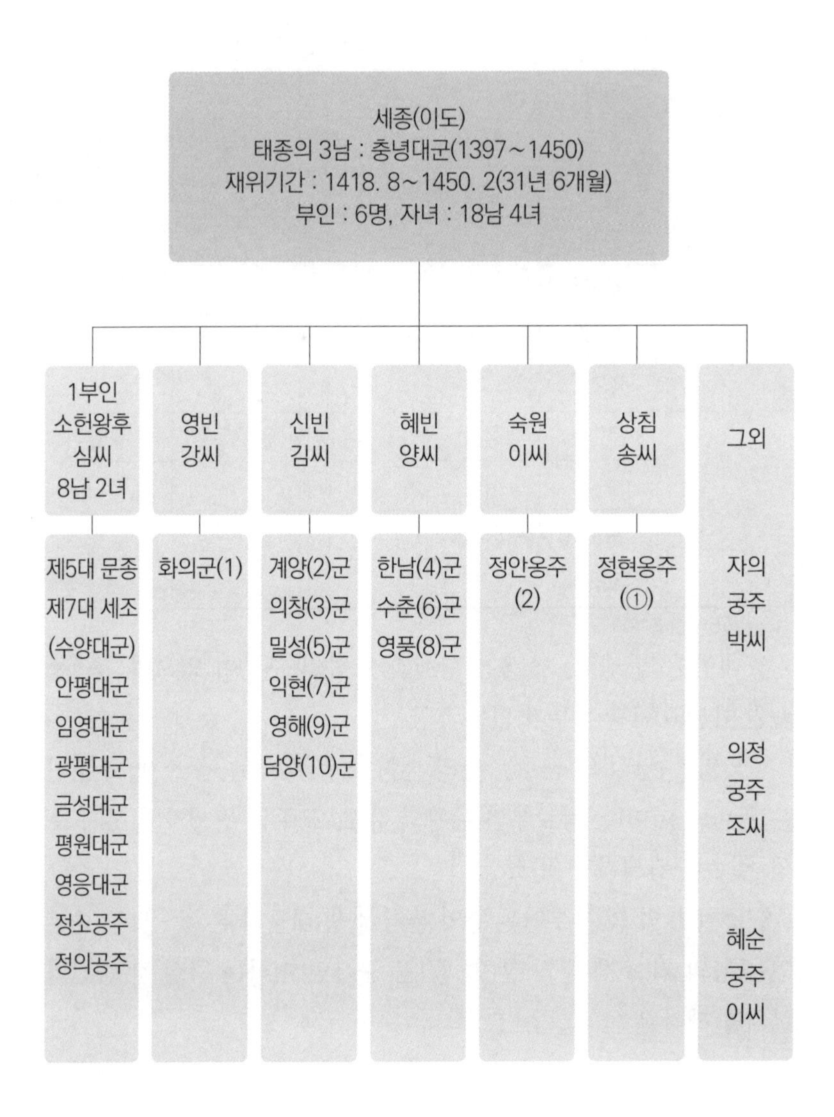

세종(이도)
태종의 3남 : 충녕대군(1397~1450)
재위기간 : 1418. 8~1450. 2(31년 6개월)
부인 : 6명, 자녀 : 18남 4녀
1부인 소현왕후 심씨 8남 2녀
제5대 문종
제7대 세조 (수양대군)
안평대군
임영대군
광평대군
금성대군
평원대군
영응대군
정소공주
정의공주
영빈 강씨
화의군(1)
신빈 김씨
계양(2)군
의창(3)군
밀성(5)군
익현(7)군
영해(9)군
담양(10)군
혜빈 양씨
한남(4)군
수춘(6)군
영풍(8)군
숙원 이씨
정안옹주 (2)
상침 송씨
정현옹주 (①)
그외
자의 궁주 박씨
의정 궁주 조씨
혜순 궁주 이씨

세종 전대(前代) 가계도

목조(이안사) — 익조(이행리) — 도조(이춘) — 환조(이자춘)

태조(이성계)
태조(이성계, 1335~1408)
재위 : 1392. 7~1398. 9(6년 2개월)
부인 : 3명 / 자녀 : 8남 5녀

- 신의왕후 한씨 — 진안, 영안, 익안, 회안, 정안, 덕안대군, 경신, 경선공주
- 신덕왕후 강씨 — 무안, 의안대군, 경순공주
- 성비 원씨 — 군, 옹주 없음
- 정경궁주 유씨 — 군, 옹주 없음
- 화의옹주 김씨 — 군, 옹주 없음
- 기록 없는 후궁 — 의녕, 숙신옹주

정종(이방과)
정종(이방과, 1357~1419)
재위 : 1399. 9~1400. 11(2년 2개월)
부인 : 8명 / 자녀 : 15남 8녀

태종(이방원)
태종(이방원, 1367~1422)
재위 : 1400. 11~1418. 8(17년 10개월)
부인 : 12명 / 자녀 : 12남 17녀

- 원경왕후 민씨 — 양녕, 효령, 충녕, 성녕대군, 정순, 정선, 경정, 경안공주
- 효빈 김씨 — 경녕군
- 신빈 신씨 — 성녕, 온녕, 근녕군, 정신, 정정, 숙정, 숙녕, 숙경, 숙근옹주
- 선빈 안씨 외 8명 — 4남 7녀

세종(이도)

음역표

모음

अ a 아	आ ā 아	इ i 이	ई ī 이
उ u 우	ऊ ū 우	ऋ ṛ 리	ॠ ṝ 리
ए e 에	ऐ ai 아이	ओ o 오	औ au 아우

아누스와라 Anusvāra (ं) ṃ ㄴ/ㅁ/ㅇ

비사르가 Visarga (ः) ḥ 흐

자음

क k ㄲ	ख kh ㅋ	ग g ㄱ	घ gh ㄱ	ङ ṅ ㅇ
च c ㅉ	छ ch ㅊ	ज j ㅈ	झ jh ㅈ	ञ ñ ㄴ
ट ṭ ㄸ	ठ ṭh ㅌ	ड ḍ ㄷ	ढ ḍh ㄷ	ण ṇ ㄴ
त t ㄸ	थ th ㅌ	द d ㄷ	ध dh ㄷ	न n ㄴ
प p ㅃ	फ ph ㅍ	ब b ㅂ	भ bh ㅂ	म m ㅁ
य y	र r ㄹ	ल l ㄹ	व v/w	
श ś ㅅ	ष ṣ ㅅ	स s ㅅ	ह h ㅎ	

신미대사가 한글창제의 주역이라는 6가지 명백한 증거

조선 초기 속리산 복천암에 거주하던 신미대사가 세종의 부름을 받아 최소 7년간 복천암과 한양을 오가며 한글 창제를 주도적으로 이끌었다.

1. 유학 성향이 강했던 세종이 숭유억불정책 속에서 '선교도총섭 밀전정법 비지쌍운 우국이세 원융무애 혜각존자' (禪教都總攝 密傳正法 悲智雙運 祐國利世 圓融無碍 慧覺尊者)라는 긴 법호를 내리고 복천암에 아미타삼존불상을 조성해 주고 엄청난 시주를 한 점.

2. 수양대군 세조가 복천암을 손수 찾았던 점이다. 『조선왕조실록』을 보면 '세조는 온양과 초정에서의 목욕을 핑계 삼았지만 속리산 복천암 방문이 실제 목적이었다.'고 적고 있다. 그리고 이때 생긴 것이 이른바 장재리 대궐터와 '정이품송' 그리고 은구석이다.

3. 유학자들이 당시는 물론 세종이 죽자마자 부녀자 글, 통시 글(화장실 글) 등의 말로 훈민정음을 비난하고 험담한 점.

4. 신미대사의 본관인 영산 김씨 족보에 신미대사가 집현전 학사로 언급된 점.

세종 사후 유생들은 신미대사와 불교에 관련된 문구를 모조리 삭제했음이 곳곳에서 드러난다. 다만 영산 김씨 족보에 '수성이 집현원 학사 득세어세종(守省以 集賢院 學士得籠於世宗)'을 보면 신미대사가 집현원 학사를 지냈고 세종의 총애를 받았다는 이야기이다.

5. 한글 창제 후 실험적으로 지은 곡과 문장이 유교가 아닌 불교내용을 담고 있는 점. 당시 조선은 유교국가라 한글창제 실험용 책도 당연히 유교적인 내용이 됐어야 함에도 불구하고 『월인천강지곡』, 『석보상절』이 불교적인 내용을 담고 있다.

6. 신미대사가 범어에 능통했던 점

유학자 김수온(1410~1481)이 지은 '복천보장'을 인용 "신미대사는 불경에 통달했으나 한자에 오역이 많음을 느끼고 이른바 범어를 공부한 것으로 나타나고 있다." 특히 제주도 고관사에서 발견된 아미타불 복장에서 정골사리, 고려시대 법화경 제 4권, 장수멸죄경과 함께 신미대사가 범어로 쓴 부적다라니와 티베트 멸죄다라니가 발견되었다는 점이다.

신미대사와
훈민정음 창제

600년 전 백성이 주인되는 세상을 열고자 모든 백성이 자기 뜻을 펼칠 수 있도록 훈민정음을 연구한 신미대사의 뜻은 오늘날 제대로 실현되고 있는가?

우리 현시대의 이념갈등 중에서
불교와 한글이 가진 의미

신미대사와
훈민정음 창제

초판 인쇄 2019년 06월 10일
초판 발행 2019년 06월 25일

지 은 이 박 경 범

발 행 처 (주)해맞이미디어
서울특별시 관악구 남부순환로 1507-31
TEL : 02)863-9939
E-mail : inventionnews@naver.com
등록번호 제320-199-4호
ISBN : 978-89-90589-79-8

· 좋은 책 만들기 30년 해맞이출판사
· 이 책은 저자와 (주)해맞이미디어 협의하에 출판되었습니다.